永遠《えいえん》の生命《せいめい》の世《せ》界《かい》

人は死んだらどうなるか

大川隆法 Ryuho Okawa

まえがき

今から二千五百数十年前、北インドの釈迦族《しゃかぞく》の王子ゴータマ・シッダールタ（釈尊《しゃくそん》）は、人間にはなぜ「生《しょう》」「老《ろう》」「病《びょう》」「死《し》」の四苦《しく》の苦しみがあるのか、その問いへの答えを求めて出家《しゅっけ》した。そして「真理《しんり》」とは何か、「善《ぜん》」とは何かを巡《めぐ》って「悟《さと》り」を目指《めざ》した。

本書が、釈尊の疑問《ぎもん》への答えである。迷《まよ》える宗教家《しゅうきょうか》への導《みちび》きであると同時に、無明《むみょう》に生きる現代《げんだい》の医者や科学者への厳《きび》しい警鐘《けいしょう》ともなっている。

最初に真理を発見し、確信《かくしん》するのは、いつの時代もただ一人《ひとり》である。そしてその真理を伝えんとする情熱《じょうねつ》が、人の心から心へと伝わり、時代を経《へ》て、多くの人々に覚醒《かくせい》をもたらす。
本書は真実の世界の秘密《ひみつ》を知る宗教家としての、私の使命《しめい》をかけた一書《いっしょ》であり、必ず後世《こうせい》に遺《のこ》さなければならない真理でもある。

二〇〇四年　春

幸福《こうふく》の科学《かがく》グループ創始者兼総裁《そうししゃけんそうさい》　大川隆法《おおかわりゅうほう》

永遠の生命の世界　目次

第2章　死後の魂《たましい》について（質疑応答《しつぎおうとう》）

第3章　脳死《のうし》と臓器移植《ぞうきいしょく》の問題点

第4章　先祖供養《せんぞくよう》の真実

第5章　永遠《えいえん》の生命《せいめい》の世界

第1章

死の下《もと》の平等

1　なぜ宗教《しゅうきょう》という分野の仕事があるか

宗教家は死の専門家《せんもんか》でなければいけない

宗教《しゅうきょう》にとって非常《ひじょう》に大事なテーマである死の問題について、お話ししたいと思います。

なぜ宗教という分野の仕事があるかというと、突《つ》き詰《つ》めて言えば、結局、「宗教家、あるいは宗教を担《にな》う人たちは、やはり死の専門家《せんもんか》でなければいけない」ということだと思うのです。

今は、病院で死ぬ人も多くなって、死の問題が、やや医者の仕事のようになりつつもあるのですが、根本《こんぽん》的に、医学において限界《げんかい》があることは明らかです。

「身体《しんたい》の問題しか扱《あつか》っていない」というところが医学の限界であり、そういう意味においては、医者に、人間の死の本当の意味や死後の世界を取り扱う能力《のうりょく》はないと思われます。

その意味で、やはり、宗教の使命《しめい》というものは、今も大きなものがあると思います。

「人間の死は、どのようなものであるか」という医学的な判定基準等《はんていきじゅんとう》は、いろいろと揺《ゆ》れていますが、霊界《れいかい》の真実を知ると、医者は、非常に些細《ささい》な、細《こま》かい、つまらない議論《ぎろん》をしているかのようにも見えます。本当にいちばん大事なところが議論されていないというか、分かっていないという感じがするのです。

「生老病死《しょうろうびょうし》」は宗教の根本《こんぽん》問題

「生老病死《しょうろうびょうし》」は仏教《ぶっきょう》の基本《きほん》的で大きなテーマです。釈尊《しゃくそん》の出家《しゅっけ》の理由の一つにも挙《あ》げられています。「『人間は、なぜ生まれてくるのか。なぜ老《お》いるのか。なぜ病気になるのか。なぜ死ぬのか』、この問いに、もしスパッと答えてくれる人がいるならば、自分は出家を思いとどまり、王宮に残って、父王の跡《あと》を継《つ》いでも構わない。しかし、誰《だれ》も答えてくれない」ということです。

この生老病死の問題は、哲学《てつがく》の根本《こんぽん》問題でもあるし、宗教の根本問題でもあるでしょう。宗教でも哲学でもあるでしょう。ただ、死後の世界まで含《ふく》めると、明らかに宗教の問題になります。

「人間は、なぜ生まれるのか。なぜ、この世に生まれてくるのか」ということについて、現代《げんだい》的常識《じょうしき》においては、答えがなされているとは言えません。

死の定義《ていぎ》に関して、「心臓《しんぞう》が止まったときである」「脳波《のうは》が止まったときである」など、いろいろと医学的に取り扱われているように、生《せい》の瞬間《しゅんかん》に関しても、「いつから始まるのか」ということについて議論があるでしょう。

生物学的に、精子《せいし》と卵子《らんし》の出会ったときから始まるのか。あるいは、母の胎内《たいない》で人間としての姿《すがた》の原形ができたときに始まるのか。いったい、どこから始まるのか。生命《せいめい》の起源《きげん》そのものが曖昧模糊《あいまいもこ》としています。

最近は、ロボットも、かなり進化してきたので、身体的機能《きのう》だけをテーマにすると、生命とロボットとのあいだに、もう一つ区別がつかないところもあります。人間や動物の姿、特性《とくせい》を備《そな》えたロボットも出てきているので、もう一つ区別がつかなくなってきつつあるかもしれません。

この「生《しょう》」の問題、「生まれてくる」という問題があります。

それから、「老《ろう》」の問題、「老いる」という問題があります。これは、現象《げんしょう》としては誰しも認識《にんしき》はしていますが、「人間は、なぜ必ず老いるのか」ということです。

「老いること、老いて死ぬことを妨《さまた》げたい」という、不老不死《ふろうふし》、長寿《ちょうじゅ》の願《ねが》いを持った人は、秦《しん》の始皇帝《しこうてい》、その他、昔《むかし》からたくさんいるのですが、どの人の願いも叶《かな》えられることはありませんでした。「年を取らない」ということはありえないし、「死なない」ということもまた、ありえないのです。

「病《びょう》」の問題、「病気になる」という問題もあります。

病気は、かなり克服《こくふく》されつつはあって、人間の寿命は昔よりは少し延《の》びています。しかし、いろいろな研究がなされた結果《けっか》、病気の種類も増《ふ》えて、昔は病気と思わなかったものも、今では病気とされたりしています。そのように、病気そのものがなくなることはないのです。

身体《しんたい》のほうに注目すれば、病気は身体の故障《こしょう》ということでしょう。故障しない機械やロボットがないように、肉体そのものも、故障しないで永久《えいきゅう》に使えるというものではないのです。

現代《げんだい》の科学は生命《せいめい》が理解《りかい》できていない

この「生老病死」という根本問題に、現代《げんだい》の学問が、はたして、どこまで答えることができたでしょうか。特《とく》に、生まれてくるところと死んでから後《のち》のことについて、明確《めいかく》に答え切っているものは、現代の学問水準《すいじゅん》、科学水準においては、やはり、ないと言わざるをえません。いくら研究をして、クローンとか複製《ふくせい》とかをつくっても、それで、本当に生命《せいめい》が理解《りかい》できたかというと、やはり疑問《ぎもん》があります。

宗教は、「誰もが、生きているあいだに検証《けんしょう》できる。実験で確《たし》かめられる」というものではなく、「ごく少数の人が真理《しんり》を伝えて、『信じるかどうか』という踏《ふ》み絵《え》を迫《せま》ってくる」というものです。そのため、現代的には、どうも多数決の原理で承認《しょうにん》しにくいし、また、科学的実証《じっしょう》という意味での承認も非常にしづらいものです。

しかし、それでも、やはり、言うべきことは言い続けなければいけないと思うのです。

現代では、医学、生物学が進歩してきて、いろいろと研究がなされ、複製をつくれるようになってきています。

さらに、最近の流行《はや》りの本によると、昔から、宗教で、「魂《たましい》があって、人間は生まれ変わってくる」という感じで見ていたものを、もっと違《ちが》うように捉《とら》えている向きもあるのです。

生物学者等は、研究をして、「結局、何か魂の本質《ほんしつ》のようなものが、つかめた気がする」と言っています。

どういうことかというと、「人間は、肉体があり、『赤ちゃんとして生まれ、大きくなり、衰《おとろ》えて、死んでいく。しかし、また、子供《こども》ができ、孫《まご》ができていく』

というかたちで、個体《こたい》として、つながっているように思われているけれども、本当は、そうではないのだ。本当は、魂の本質に当たるようなものは遺伝子《いでんし》なのだ」という意見も出ているわけです。

「利己《りこ》的な遺伝子」という説（リチャード・ドーキンス）があり、「遺伝子そのものが、自分が生き延びるために、子々孫々《ししそんそん》、体をつくり続け、何度も何度も再生《さいせい》して、百年も二百年も生き続けようとしているのだ。生き延びているのは、実は遺伝子なのだ」という意見も出ているのです。

最近の生物学や医学の唯物《ゆいぶつ》的な探究《たんきゅう》の仕方でいくと、やはり、そのようになるかもしれません。「人間は、両親から遺伝子を半分ずつもらって、新しい遺伝子ができる。しかし、そのなかには、確実《かくじつ》に、もとの遺伝子の一部が生き延びている。さらに、その子供もまた、両親から遺伝子を得《え》て生まれる。遺伝子が永遠《えいえん》に生き続けるために、生殖《せいしょく》があり、『親から子へ、子から孫へ』という流れができている」という、唯物的なものの見方です。

そういうものを研究対象《たいしょう》として研究をしている人にとっては、それ以外に考えられないのでしょうが、少し残念なところはあると思います。

体は、いくら調べても、やはり、道具にしかすぎないわけです。したがって、その本来の意味、使命というものを、体そのものの分析《ぶんせき》から見るのは、ちょっと難《むずか》しいものがあるのです。

2　目に見える世界以外の力が働いている

科学による第一原因論《だいいちげんいんろん》は迷信《めいしん》に聞こえる

第一原因論《だいいちげんいんろん》、「そもそも、なぜ世界ができて、なぜ人間がいるのか。なぜ生まれたのか」という第一原因についての理論《りろん》を証明《しょうめい》することは、科学にも、ほとんど不可能《ふかのう》です。科学による説明を聞けば聞くほど、本当に、昔《むかし》の宗教《しゅうきょう》と言うと語弊《ごへい》がありますが、迷信《めいしん》に聞こえるようなことが多いのです。

「偶然《ぐうぜん》に、宇宙《うちゅう》の一点が爆発《ばくはつ》して広がった」「宇宙のガスが集まって星ができた」「岩石がぶつかって星ができた」など、聞けば聞くほど、摩訶不思議《まかふしぎ》で、眉《まゆ》に唾《つば》をつけたくなるような話がたくさん出てきます。「本当に、そんなことがあるのですか」と言いたくなるような話に聞こえなくもないのです。

科学では、生命《せいめい》の起源《きげん》を辿《たど》って、「昔、最初に小さなプランクトンや微生物《びせいぶつ》が生まれ、それから植物が生まれ、さらに動物が生まれた。それが生命の起源である」という言い方もしています。

しかし、近代の、細菌等《さいきんとう》の研究によれば、煮沸《しゃふつ》して消毒したフラスコのなかからは生命は生まれないことが、実験で証明されています。

以前は、ハエでも何でも自然に発生したように思われていましたが、実は、きちんと大気中（対象物中《たいしょうぶつちゅう》）にその原因があって生物が生まれていることが分かったのです。「完全に煮沸してしまい、熱湯《ねっとう》消毒をして、何も入らないようにしたら、生命は生まれてこない」ということは、ここ百年、二百年で証明されていることなのです。

そもそも、地球の歴史は四十六億年と言われていますが、地球が最初は灼熱《しゃくねつ》の星であったことは、もう否定《ひてい》のしようがなく、誰《だれ》もがそれを認《みと》めています。しかし、「その灼熱の星、ドロドロに融《と》け、火の塊《かたまり》となって燃《も》えていたもののなかから、どうして生命が生まれたのか」という問いに答えられないのです。その状態《じょうたい》であれば、完全に殺菌《さっきん》されているはずなので、その完全に殺菌されたものから生命が生まれてくるというのは、不思議は不思議です。

このように、科学でもって最初の原因論を語ると、結局のところ、むしろ、迷信、あるいは空想になってくるようなところがあるのです。

光の粒子《りゅうし》が持つ機能《きのう》

やはり、目に見える世界以外の力を認めざるをえないのです。「そういう大きな力が働いて、一定の方向性を与《あた》え、方向づけをし、それで、この世に力が及《およ》び、進化が起きている」と考えれば、非常《ひじょう》によく分かります。

この世の生命力の源泉《げんせん》は、もちろん、太陽の光であり、それから、酸素《さんそ》と水素《すいそ》からできた水と、二酸化炭素《にさんかたんそ》、この炭酸同化《たんさんどうか》によって、それがエネルギーに変わり、生きる力になっています。

また、あの世はあの世で、霊太陽《れいたいよう》の光でもって生命エネルギーができています。

そして、霊太陽の光の粒子《りゅうし》が、この世とあの世とをかけ持っている部分がありますこれが両方の側面《そくめん》を持っていて、この世においては、生きる命《いのち》となっているのです。

夏になると、植物は繁茂《はんも》し、動物たちも活発になり、大きくなって、子孫《しそん》をつくり、多産になります。生命がたくさん生まれてきます。その姿《すがた》を見ると、それは日差しが強くなることと関係があるということがよく分かります。やはり、太陽のエネルギーが生命エネルギーに転化しているのです。

そして、霊界《れいかい》に行くと、今度は、霊太陽のエネルギーの部分が、実は人間の霊的な体をつくっているのだということが、よく分かります。

そのように、光の粒子そのものが、この世とあの世にまたがった機能《きのう》を持っていて、この世に現《あらわ》れては生命のエネルギーとなり、あの世に行っては霊体《れいたい》のエネルギーとなっています。そういう現象《げんしょう》です。

霊界のエネルギーそのものは、この世では見えないけれども、これが物質化《ぶっしつか》することがあります。「霊界のものが、この世で物質化する」ということが起きる以上、すでにこの世にあるものを変化させていくこと自体は、かなり自由自在《じゆうじざい》です。この世にあるものを変化させていく、そういう力です。

科学の言う進化論《しんかろん》を見ると、話としては、どうも、偶然《ぐうぜん》としか言いようがないようなことばかりです。根本《こんぽん》的な意味や哲学《てつがく》の部分がないので、「偶然、偶然、偶然」という感じです。

それは、たとえ話で言えば、「レンガと砂《すな》と水とセメントを平地《へいち》に置《お》いておいたら、風が吹《ふ》いたり、熱が当たったたり、サルなど、いろいろなものが来て、ちょこちょこと手を出したりしているうちに、家が建ってしまった」というような言い方に近いのです。

科学は、人間等の高等動物が出てきた過程《かてい》、人類が出てきた過程を、そのように捉《とら》えています。

動植物に見る「生命《せいめい》を育《はぐく》んでいる力」

しかし、「やはり、魂《たましい》があるのだ。下等な動物でも、やはり、それに相応《そうおう》するものがあるのだ」ということです。そう考えざるをえないのです。

自然界を見ると、例えば、アマゾン河流域《がわりゅういき》には、日本で見ることのできないような昆虫《こんちゅう》がいます。コノハカマキリといって、鳥に見つからないように、木《こ》の葉《は》そっくりの姿をしたものがいるのです。どのようにして、そういうものができるのか、不思議ですが、敵《てき》から身を護《まも》るために、体を木の葉そっくりの姿に変化させているのです。そういう昆虫もいます。

それから、自然界には、もっと不思議なものもいます。

以前に私が観《み》たテレビ番組では、インドネシアの海に棲《す》むタコを取り上げていました。そのタコは、めったに捕《つか》まったことのないもので、姿を変化させるタコ、十何種類の姿に変わるタコなのです。

普通《ふつう》、「ヒラメなどが砂地《すなじ》の色に似《に》せた姿をする」ということはよくありますが、観ていると、そのタコは、タコなのに海へビの姿に変わるのです。頭を引っ込《こ》め、足だけを出して、その足を縞模様《しまもよう》にすると、海へビに見えるのです。そうすると、海へビを怖《こわ》がるものは逃《に》げていきます。それ以外にも、そのタコは、イソギンチャクに化《ば》けたり、足をピタッとさせ、カレイの形になって泳いでいったりするのです。

そのように、インドネシアあたりの海に棲む、十何種類の姿に変化するタコについて、テレビで取り上げていました。

それまで、めったに捕まらなかったので、それほど変化するということが分かっていなかったのですが、そういう変身ダコがいるのです。海のなかには鏡《かがみ》はないので、自分で自分の姿が見えるわけもないのですが、それでも、そのようにして身を護っているわけです。

そのタコは、自分のほうが食べられてしまうような相手が出てきたときには、強いものに変化します。ウツボや海ヘビなど、強いもの、毒を持っているものに化け、向こうが怖がって、近づいてこないようにするのです。

逆《ぎゃく》に、相手を獲物《えもの》として狙《ねら》っているときには、弱いものの姿に変わって安心させます。イソギンチャクのようになったり、海藻《かいそう》のようになったり、いろいろな形に変化し、弱いものの姿に変わって、相手を油断《ゆだん》させ、食べてしまうのです。

タコですら、そのくらいのことはできるのです。これは不思議です。このような能力の獲得《かくとく》は偶然には起こりえません。やはり、彼《かれ》らでも、一種の、自分の体を進化させようとする力は持っているということでしょう。そうとしか思えません。

あるいは、南方の地域《ちいき》には、ランの花によく似たカマキリもいます。ランの花そっくりの形に体を変え、花だと思って飛んでくるものを捕《と》らえたりする昆虫もいるのです。

そのようなことは、やろうとしてもできないはずです。「昆虫が自分の体を花の姿に変える」などということは、考えられないぐらいの神秘《しんぴ》です。

そういう昆虫や動物に対しても、智慧《ちえ》の力、自分を変えていく力が働いているのですから、造物主《ぞうぶつしゅ》の力、神の力というのは、すごいものだと思います。

また、植物だって、大きな力を与《あた》えられています。

みなさんの多くは、「どのくらいの速度で竹が成長するか」ということなどは、あまり見たことがないでしょう。

竹の子が出てくるときに、その食べごろというのは、ほんの、地面に出るか出ないかぐらいから、二、三十センチ出たぐらいまでです。ところが、「明日《あした》ぐらいだと、ちょうどいいかな」と思っていると、その翌日《よくじつ》にはサーッと大きくなっていたりするのです。

竹の子が出てから一週間たつと、もう二メートルぐらいになっています。二週間たつと、もう五メートル以上になり、親の竹と変わらないぐらいです。まだ細く、周《まわ》りに産毛《うぶげ》のような白い粉《こな》がついていますが、二週間で、もう五メートル以上になってしまうのです。

彼らも、「芽《め》を出したばかりのときに食べられる」ということをよく知っていて、それで、「いかに速く成長するか」ということに命《いのち》を懸《か》けているわけです。成長してしまい、硬《かた》くなったら、もう誰《だれ》も食べられないのですが、出たばかりのときには、人間も採《と》るし、動物も食べに来ます。そのため、生《は》えたばかりの竹の子は、ほんの三日ぐらいを生き延《の》びるということに必死なのです。必死で生き延びているのです。そのような意志《いし》を感じます。

あの成長の速度というのは、ちょっと考えられないものです。「二週間ぐらいで五メートル以上になる」ということになると、「その原材料が、本当に地面のなかにあるのだろうか」と、不思議な感じがします。水ばかりでできているならともかく、繊維《せんい》があり、硬くなってくるので、「それだけの材料が、地面のなかに、本当にあるのだろうか」という感じがするのです。

このように、自然の造化《ぞうか》の力には、目を奪《うば》うものがあります。

この森羅万象《しんらばんしょう》の生きている姿、動物や植物、昆虫、魚類等の生きている姿、千変万化《せんぺんばんか》しながら生きている姿を見て、「やはり、この生命《せいめい》を育《はぐく》んでいる、大いなる力が働いている」と見える人と、それがまったく分からない人との、人生観の違《ちが》いは大きいでしょう。

3 「人は必ず死ぬものだ」という覚悟《かくご》を

人生は一枚《いちまい》の葉っぱのようなもの

人間も、この世に生まれ、育ち、親になり、死んで、この世を去っていくわけですが、それは、大きな目で見れば、ちょうど植物の葉っぱのようなものなのです。

木は、冬のあいだは枯《か》れていて、まったく兆候《ちょうこう》がないのに、春先になると芽吹《めぶ》いてきます。芽吹いたかと思うと、四月、五月に、パーッと若葉《わかば》が出てきます。さらに、六月、七月には、たくさん葉っぱが茂《しげ》ってきます。雨をたくさん吸収《きゅうしゅう》し、炭酸同化《たんさんどうか》をして、栄養を木の幹《みき》のなかに取り入れていきます。そして、秋になると、葉っぱは変色し、赤くなり黄色くなって、散《ち》っていきます。

人生というものは、ちょうど、あの一枚《いちまい》の葉っぱのようなものなのです。

人間は、一人ひとりが個別《こべつ》に努力をしているように見えても、本当は、大きな木の幹につながっているのです。あるいは、根っこから、その大樹《たいじゅ》につながっているのです。

そこから枝《えだ》がたくさん出ています。この枝の部分が、いろいろな民族であったりするわけです。日本人であったり、中国人であったり、韓国人《かんこくじん》であったり、アメリカ人であったりして、枝が出ているのです。

その枝から、また、小枝が出てきています。これが、その地域《ちいき》ごとの、○○州、○○県、○○町というものであり、そこに、たくさんの人が住んでいます。そして、家族の単位が最後にあります。そのように、小枝が分かれていき、そこに葉っぱが出ているのです。

そこから葉っぱが落ち、また葉っぱができ、また落ちるというかたちです。動物、植物の世界を見ても、だいたい、そのようにして、連綿《れんめん》と生命《せいめい》が続いています。死は悲しいように見えるかもしれませんが、葉っぱが散っていく姿《すがた》と変わらないのだということです。

「諸行無常《しょぎょうむじょう》」の思想とは、そういうものです。

この世はこの世で、生命として連綿と生きていくだけの、そういう装置《そうち》はあります。しかし、この世で永遠《えいえん》に生き続けることはできません。子孫《しそん》を遺《のこ》すことで、姿形《すがたかたち》を変えて生き延《の》びることはできますが、一人ひとりの個性《こせい》と思っているものは、いずれ、この世を離《はな》れなければいけないのです。

木の葉が散っていくように、人間も、やがて死にます。どのような人でも必ず死にます。

絶対《ぜったい》に外《はず》れない予言は、赤ちゃんが生まれたときに、「この子は必ず死ぬ」という予言をすることです。これは間違《まちが》いなく当たります。外れようがありません。どのような人でも必ず死にます。この世から見れば残念だけれども、必ず死ぬのです。

しかし、前述《ぜんじゅつ》した、四季の移《うつ》り変《か》わりのなかでの木の葉の運命を思ったならば、「葉っぱが散る」ということは、どういうことでしょうか。

秋に葉っぱが散り、地面に落ちます。それが、やがて腐葉土《ふようど》になり、栄養としては残ります。そして、また春になったら、木はその栄養を吸《す》い上げ、若芽《わかめ》が出、若葉が出てきます。そのように、若い力を翌年《よくとし》に出すために、葉っぱは散っていくわけです。

「永遠の生命があれば、これほどよいことはない」と思うかもしれませんが、この世で永遠の生命があったら、それはそれで地獄《じごく》でしょう。

幸福の科学には「百歳《さい》まで生きる会」がありますし、人間は百歳ぐらいまでは生きてよいのですが、二百歳、三百歳まで生きるということになったら、これは、ちょっと寂《さび》しいかもしれません。

二百歳、三百歳まで生きたら、どうなるかというと、自分の知っている人は誰《だれ》もいなくなり、まるで浦島太郎《うらしまたろう》の世界になります。「浦島太郎が、竜宮城《りゅうぐうじょう》で、三年、遊んでいたら、そのあいだに、この世では三百年たっていた」という物語があります。竜宮城では、あっという間に時間が過《す》ぎていくというわけです。

三百歳まで生きたら、それは大変でしょう。周《まわ》りの人の顔触《かおぶ》れが、みんな変わり、時代も変わって、さぞ寂しいでしょう。

したがって、「みんなと同じように、転生輪廻《てんしょうりんね》をし、生まれては成長し、老《お》い、死んで、また別の機会に生まれてこられる」ということが、やはり楽しみなことなのです。

このように、生命の世界というものは、循環《じゅんかん》しつつ発展《はってん》していくように、全部ができているのです。

新しく生まれた人が、勉強し、力をつけて、大人になり、仕事ができるようになるということは、非常《ひじょう》に楽しみなことです。しかし、年を取っていくと、いろいろなものが古びていき、百歳以降《いこう》に新しい知識《ちしき》を学んでも、古いものがたくさん入っていて、もう、それは動かないのです。

明治《めいじ》生まれの人は、「明治の時代は、こうだった。大正《たいしょう》の時代は、こうだった。昭和《しょうわ》の時代は、こうだった」と、いろいろなことを知っていますが、新しい時代に、ちょっと、ついていけなくなるわけです。

やはり、葉っぱとして落ち、しばらくして、また、もう一回、生まれたほうが、やりやすいのです。古いものを捨《す》てることは難《むずか》しいので、別の経験《けいけん》を得《え》るためには、この世を去ることが必要になります。

そういう仕組みで、人には寿命《じゅみょう》があり、必ず、この世を去っていくようになっているのです。

それを押《お》しとどめようとしても無理《むり》です。「生きよう、生きよう」とは思うでしょうが、必ず人は死ぬのです。「死ぬ」という運命においては平等です。また、「死」という事実の下《もと》には、いかなる人の自己主張《じこしゅちょう》も届《とど》かないのです。

死は突然《とつぜん》にやってくる

そして、死は、ある日突然《とつぜん》にやってきます。人間は平均《へいきん》的には八十歳前後の年齢《ねんれい》で死ぬことになっていますが、個人差《こじんさ》はさまざまにあるので、小さいうちに死ぬ人、小学生で死ぬ人もいれば、中学生、高校生で死ぬ人もいるし、年を取り、八十歳を過ぎてから死ぬ人もいて、いろいろです。ただ、死は、ある日突然にやってくるのです。

海岸で遊んでいると、いつのまにか潮《しお》が満ちてくることがありますが、それと同じように、ある日突然に、この世の命《いのち》というものが終わる時期が来ます。水がヒタヒタと寄《よ》せてきて、いつしか、膝《ひざ》のところから胸《むね》のところ、さらに頭を没《ぼっ》するところまで、ザーッと満ちてくるのです。そういうものなのです。

逆説《ぎゃくせつ》的に言うと、「人は必ず死ぬものだ」という覚悟《かくご》が早くできた人ほど、この世で与《あた》えられた人生を有意義《ゆういぎ》に過《す》ごすことができるわけです。それを考えもしないで遊びほうけていると、突然に死ぬことになります。それは、いつ来るか分からないのです。

誰《だれ》しも平均寿命を中心に人生設計《せっけい》をしているでしょうが、そのとおりにはならないこともあります。そのため、いつ、この世を去ることになっても、「一定のお役には立てた。また、次のチャンスに賭《か》けたい」という気持ちで去っていけるだけの生き方をする必要があるのです。それを考える必要があります。

たいていの人は、やはり、「死は悲しいことだ」と、どうしても思ってしまうでしょう。ただ、「自分が死んだあとに、どういう仕事が遺《のこ》るか」ということを常《つね》に考えていくことも、非常に非常に大事なことなのです。

大勢《おおぜい》の人々の、死後の姿を見るにつけても、「ああ、本当に、心の準備《じゅんび》ができていなかったのだな」ということを、つくづくと思います。そもそも、死後の世界があること自体を知らない人、認《みと》めていない人が大多数ですから、まったく準備のしようもありませんが、死は突然に来るのです。そのときに、地上に執着《しゅうちゃく》し、自分の家に執着し、会社に執着し、家族に執着しても、もう、どうにもなりません。

死んで霊《れい》となった以上は、悲しいことに、この世の人に自分の声が聞こえないのです。いくら話しても聞こえないし、前日までは触《さわ》ることのできた家族の体も、触ることはできないのです。

想像《そうぞう》してみてください。これは、ある意味では、つらいことです。「自分の声が相手に聞こえない。話しても、相手は聞いてくれない。相手の手を握《にぎ》ろうとしても、握れない。相手を抱き締《だし》めようとしても、体を通り抜《ぬ》けてしまう」ということです。

こういう世界なのです。これが、現実《げんじつ》として、やってくる世界なのです。

遺言《ゆいごん》をすることができた人はよいほうであり、できない人も多いので、「死んだあとに執着を残してはいけない」と言われても、たいていの人は執着が残ります。「もし、今日、死ぬのだったら、あれもしておくべきだった。これもしておくべきだった」と思うことはたくさんあるのです。

したがって、「死のための準備は、生まれたときから、もう始まっているのだ」ということを知らなければいけません。

ガンなどになり、「残り半年の命《いのち》」、あるいは「残り一年の命」と宣告《せんこく》されて亡《な》くなる人もいますが、その不運を嘆《なげ》く必要はありません。百人が百人、やはり、何らかの死因《しいん》で必ず死ぬのです。老衰《ろうすい》して死ぬのが幸福かもしれませんが、ガンであれ何であれ、必ず死ぬことは死ぬので、それに対して、不幸を、不遇《ふぐう》を嘆いたりしても、しかたがないのです。

「必ず死ぬ」ということについては、覚悟はしておいたほうがよいわけです。ただ、前述したとおり、四季が巡《めぐ》っていくように命が転生《てんしょう》しているので、その法則《ほうそく》から言うと、やはり、何百歳にもなるまで生きないほうがよいのです。

死んでくれる人がいるから、赤ちゃんが生まれてきます。それは間違いのないことです。そうしないと、この世の世界の人が、みんな老人になってしまいます。死んでくれる人がいて、赤ちゃんがいるのです。

4　霊界《れいかい》での新しい経験《けいけん》

あの世にも子育てがある

なかには、小さな子供《こども》で亡《な》くなったりして、親より先に死ぬ人もいて、「なぜ、こんな、ひどいこと、むごいことがあるのか」というようなこともあります。

しかし、いろいろな経験《けいけん》をし、いろいろな感じ方や生活の仕方をしている人を、一定の人数、この世から霊界《れいかい》に供給《きょうきゅう》する必要があるのです。そのため、赤ちゃんで亡くなる人や幼児《ようじ》で亡くなる人もいるわけです。

そういう人は、当初は、その死んだときの姿《すがた》で、あの世に移行《いこう》します。それに対して、あの世でも、「赤ちゃんのお世話をする」「幼児を育てる」「小学生を養育し、教育する」など、そういう魂修行《たましいしゅぎょう》をしている人たちがいます。その人たちのために、新しい魂が提供《ていきょう》される必要もあるのです。

あの世に還《かえ》っても、この世での子育てのところで何か後悔《こうかい》が残っているような人などは、魂の子育ての練習をし、この世でやり残した部分を修行することもあります。また、あの世へ行っても、子供が好《す》きな人、子供を育てたり、子供と遊んでやったり、子供を指導《しどう》したりするのが好きな人もたくさんいます。そういう人用に、やはり、子供の魂の供給も要《い》るのです。

もちろん、死んで、あの世に還ったら、年齢《ねんれい》は自由自在《じゆうじざい》に変わるのですが、それは、あの世での霊的な存在《そんざい》の意味について悟《さと》った人の場合であって、普通《ふつう》は、やはり、死んでしばらくのあいだ、一年なり三年なりのあいだは、死んだころの姿をしていることが多いのです。

そのように、あの世で子育てをしている人もいます。他人の子供を養育している人もいるし、学校の先生のように教えている人もいます。

あの世へ来るときに年を取っている人が多いのは事実なのですが、いろいろな年齢の人の来ることが、あの世にとっては、ありがたいことなのです。そのような新しい経験を積《つ》む人がたくさんいるのです。

天使の予備軍《よびぐん》は、死んだ人を導《みちび》く仕事をする

あの世での指導者のことを、「天使」とか「菩薩《ぼさつ》」とか、いろいろと呼《よ》んでいますが、そういう指導者になろうとする人たちには、そのための訓練《くんれん》を積む機会が必要です。

彼《かれ》らの最初の仕事、初級の仕事としてあるのが、死んで、あの世に移《うつ》ってきた人たちを悟らせ、この世のことについて執着《しゅうちゃく》を断《た》たせ、あの世の生活に慣《な》らして、導《みちび》く仕事です。これは、みんな、だいたい最初にやる仕事です。まず、これをや

らないと駄目《だめ》です。あの世の、そういう天使の予備軍《よびぐん》は、みんな、必ず、訓練として、死んだばかりの人を諭《さと》したり、あの世の生活に慣らしたりして、導く仕事をしています。

幸福の科学で、いろいろと勉強して修行したような人も、あの世に還ると、何か仕事をしたくなります。最初は、自分の経験を積んで、あの世での悟りをちょっと得《え》なければいけないので、まず自分のことが中心ですが、一定の経験を積み、目覚めてきて、「自分は、あの世の存在、霊存在なのだ。この世とは違《ちが》うのだ」ということがはっきり分かったら、する仕事があります。

この世からあの世に移ってくる人が、続々と、たくさんいるので、やはり、彼らを受け入れて導く人は必要です。そういう人がいないと、みんな迷《まよ》ってしまいますから、彼らを教えなければいけないのです。

当会で活躍《かつやく》したような人は、おそらく、死んで何年か後《ご》には、そういう仕事を

している と思います。

そして、ある程度《ていど》以上、その経験が終わったら、霊界の、もう少し次元の違った所へ行き、そこで新しい修行が始まります。

最初は、あの世へ還ってからの何年かで得た自分の経験をもとにして、新参者《しんざんもの》たち、新しく死んだ人々を導く必要があるのです。

死を自覚させるための、さまざまな方便《ほうべん》

そのときには、彼らは、方便《ほうべん》として、いろいろなかたちで姿を現《あらわ》します。

病院で亡くなった人も多いので、そういう人たちを諭《さと》すために、心ならずも、医者の格好《かっこう》をしたり、看護師《かんごし》の格好をしたりして出てくる人も、けっこういます。

「そうしないと信用してくれない。本人は、まだ病院で闘病《とうびょう》しているつもりでいるものだから、しかたがない」ということで、医者と看護師の役割《やくわり》になり、こう

言うのはおかしいですが、〝化《ば》けて〟出てくるわけです。偉《えら》そうなお坊《ぼう》さんが医者の格好をして、お助けの女性たちも看護師の格好をして、出てきます。

それでも、相手は、なかなか言うことをきいてくれないので、一人《ひとり》の医者で駄目なら、複数《ふくすう》、出てきます。医者が三人ぐらい出てきて、「君は、こういう病気で死んだのだよ」などと言うと、何とか信じてくれるのです。

あの世で、「最近の医学は変わったのだ。死後の世界は、すでに解明《かいめい》されたのだ。君は、もう肉体はないのだよ。医学はそこまで来ているのだ。知らなかったのか」などと、嘘《うそ》のような、本当のようなことをだいぶ話しながら導いている人もいます。

看護師さんも、わざわざ来て、「脈《みゃく》を計ってみましょう。あっ、脈がないですね。脈がないということは、あなたは死んだのではないですか」などと言ったりして、そのような演技《えんぎ》を一生懸命《いっしょうけんめい》やっている場合もあります。

それは方便なのですが、そうしないと、彼らは信じません。唯物論《ゆいぶつろん》の深い深い影響《えいきょう》から逃《のが》れられないのです。

今、宗教《しゅうきょう》を信じていない人たちを見て、みなさんも、「彼らは、死んですぐにスーッと天国へ上がれるだろう」とは思わないはずです。断固《だんこ》、信じていない人たちです。

彼らは、「死んだら終わりだ」と思っているのですから、死んでも命《いのち》があったら、それに、どう説明をつけるでしょうか。死んで命があったら、やはり、「自分は死んでいない」と思うはずです。「自分はまだ生きているのだ」と思ってしまうのです。

そのため、どうしても、家庭とか病院とか、いろいろな所に戻《もど》ってきます。生前《せいぜん》、生活していたあたりへ戻ってきたり、あるいは、そういう所で居場所《いばしょ》がなくなると、お寺、教会、神社など、自分が埋葬《まいそう》されたあたりへ戻ってきたりします。

お寺で、お坊さんに愚痴《ぐち》を言っている人もいますし、教会に行っては、そこで、うろうろしている人もいます。何か伝《つて》がないかと思って、うろうろしているのです。

生前、宗教に一定の縁《えん》があった人、深い〝コネ〟があった人は幸福です。やはり、その宗教の関連の人が出てきて、あの世の導きは早くなります。

ところが、生前、宗教を拒否《きょひ》していて、その縁がなかった人、「宗教関係にまったくコネなし」というタイプの人は、あの世へ還《かえ》ってから大変です。誰《だれ》かが行《い》って説得《せっとく》しても、「これは駄目だ」ということになるのです。誰が行っても、「ああ、これは無理《むり》です。こういう人は、もう、自分で自覚するまで、どうしようもないですね」ということになるわけです。

そういうときには、そのような、自分が死んだことを自覚していない人同士を集めて、お互《たが》いに、「もう、いいかげん、よく分かった」と思うところまで一緒《いっしょ》にしておきます。

そうすると、彼らは、自分が死んだことを理解《りかい》していない人、自分が死んでいると思っていない人同士ですから、例えば、殺人事件《じけん》や暴力《ぼうりょく》事件等《とう》で死んだ人同士を同じ所へ集めておいた場合、お互いに殴《なぐ》り合ったり殺し合ったりするのです。

暴力団《ぼうりょくだん》同士の出入《でい》りなどで死んだような人を、そういう所へ何十人か集めて置《お》いておくと、やはり、すぐにけんかをします。顔を合わせては、「俺《おれ》の目線《めせん》を切った」「頭《ず》が高かった」など、何だかんだと相手に言いがかりをつけ、相手も「なにっ」ということになり、けんかが始まるのです。

そして、実際《じっさい》にはありもしないのに短刀《たんとう》を出し、相手をブスッと刺《さ》したりします。ところが、「どうだ、死んだだろう」と思ったのに、死んだはずの相手がムクッと起き上がってくるのです。「何だ、こいつ。また起きやがった」と思っていると、今度は、向こうが、「復讐《ふくしゅう》をする」と言って、ブスッと刺しに来るわけです。

このようなことを果てしなく繰《く》り返しています。「殺しても殺しても相手が死なない」という不思《ふし》議《ぎ》な世界であり、それを見て、「何だ、これは」というような感じになるのです。

最初は、殺されたりすると、痛《いた》いような気がするのですが、それを何十回も何百回も繰り返していると、「これは、さすがにおかしいな」という感じがしてきます。「プロレスではあるまいし、おかしいな」ということです。

「血が出ているようにも思ったのだけれども、何だか、痛くないといえば痛くない」「傷口《きずぐち》から血が出ていても、しばらくしたら傷口がふさがって、なくなってくる。おかしいな」「首を斬《き》られたのに、また生《は》えてきた」など、笑《わら》い話《ばなし》のようですが、このようなことを本当にやっています。こうしないと分からない人がいるのです。

彼らを導く人たちは、これを延々《えんえん》とやらせて初めて、「もうそろそろ、いい時期かな」と思うと、前述《ぜんじゅつ》の医者と看護師ではありませんが、今度は、お坊さんや尼《あま》さんの格好になって出てきたりして、「どうだ、少しは分かったか」というような話をするのです。そして、説教《せっきょう》を一時間ぐらいやってみます。

それで、「ああ、この人は、まだ分かっていないな」と思うと、「しかたがないな。もう一つ、別の所へ行かせるか」ということで、修行場《しゅぎょうば》の〝梯子《はしご》〟をさせることになります。「まだ分かっていないようだから、もう一つ行《い》ってこい」ということです。

霊界での経験値《けいけんち》を増《ふ》やしていく

天国でなく地獄《じごく》や地獄まで行かない所であっても、霊界で一定の経験《けいけん》を積むと、やはり経験値《けいけんち》が増《ふ》えます。まるでポケモンのようですが、経験値が増えてくるので、新参者と、やや古い者とでは、経験の差があるのです。

そのため、同じ所で何年かやっている人は、新しく入ってきた人が、自分と同じようなことをやっているのを見ると、さすがに、「殺したって、相手は、死にはしないで、また生き返るので、無駄《むだ》だぜ」などということを言い出します。ちょっと、自分で説教をし始めたりするのです。

それから、別の所へ行くと、違う死に方をしている人たちがいます。ビルの屋上から飛び降《お》りて死んだり、華厳滝《けごんのたき》の上から飛び降りて死んだりしたような自殺《じさつ》霊《れい》たちの集まっている所もあるのです。

そのような所へ、やくざ風の、何度も人を殺して、もう飽《あ》きてきた人たちが行くと、どうなるでしょうか。

高い所から飛び降りようとしている人を見て、彼らが、「ああ、あいつ、飛び降りて死にたいのだろうな」と思っていると、その人は、ドーンと飛び降り、体がグチャッと潰《つぶ》れ、血が出て、死にます。

ところが、しばらくすると、モゾモゾと動き出します。その人は、「あれ、まだ生きていた。死に損《そこ》ねた。しかたがないから、〝リハビリ〟をして、もう一回、やるか」ということで、もう一回、高い所へ上《のぼ》っていき、また飛び降りて死にます。しかし、また生き返ってきます。

滝の上から飛び降りている人もいます。

短刀で殺し合ったりしていた人たちは、それを見ると、「死んだって、また生き返るから無駄なのに、なんとバカなことをしているのだ」と言い出すのです。

そのように、経験値を増やしていくわけです。

自分より経験が劣《おと》る人に対しては、説教をすることができます。

そのため、「やくざが自殺者を諫《いさ》める」というようなことが始まったりするのです。「俺は、生きていたときにも、ずいぶん人を殺《あや》めたし、この世界へ来てからも、何百人か殺したつもりでいたけれども、この世界では、みんな、生き返ってしまうのだ。あんたも、死んだって無駄だよ。飛び降りたとき、しばらくのあいだ、痛いだろう。痛い思いをするだけバカだから、もうやめたらどうだ」などと諫めたりし始めます。

死んだ者同士で、そのような話をし、お互いに諭《さと》し合ったりするようになるのです。

唯物論《ゆいぶつろん》的な人を説得《せっとく》するのは難《むずか》しい

ある程度、悟りの機縁《きえん》がある、宗教的な人の場合は、わりに早く説得《せっとく》が始まり、あの世での導きはスーッとスムーズにいくのですが、この世で宗教をまったく信じていなかったような人の場合は難《むずか》しいと言えます。

やくざなどでなく、理科の先生などで唯物論《ゆいぶつろん》的な人の場合でも、説得するのは、なかなか難しいのです。

あの世へ行っても、きちんと植物もあり、花も咲《さ》いているし、川を見ると、魚だって泳いでいます。そのため、彼らは、「ここは、あの世ではない」と言い張《は》ります。「これは、この世だ」と言い張って、どうしようもないのです。そういう人を説得するのは、また難しいわけです。

彼らは、別に、行動において悪人だったわけではなく、現代《げんだい》の学問が劣っているために理解ができないだけなのです。現代の学問を何十年も勉強したため、頭でっかちになっていて、それを捨《す》ててくれたらよいのですが、捨てるに捨てられないのです。

「俺は理科の先生を三十年やった」「俺は大学で研究をしていたのだ」などというようなことを言っていて、お坊さんが行《い》って話をしても、なかなか聞いてくれません。彼らは、「何を言っているのだ。おまえは宗教学科だろう。こちらは物《ぶつ》理学科《りか》だ。こちらのほうが頭がよいのだ。お坊さんなどに説得されてたまるか」などと言い張っています。「こちらのほうが、時代の最先端《さいせんたん》で優《すぐ》れているのだ」というわけです。

それから、脳外科《のうげか》の医者で、頭蓋骨《ずがいこつ》をたくさん並《なら》べ、「こんなものは何でもありません。物しかないのですから。死んだら終わりなのですから」などと言っている人もいます。「頭蓋骨と一緒に寝《ね》ても、へっちゃら」というような脳外科医は、たくさんいるのです。毎日、頭蓋骨を見たり、脳をホルマリン漬《づ》けにしたりして、「何も感じないですよ。どうということもないですよ」などと言って喜んでいる人たちです。

このような人たちも、説得するのは、かなり難しいのです。

あの世で彼らを導く人々も、「こういう人たちを、どうやって説得するか」と思案《しあん》します。「このような、思想的に信じ込《こ》んでいる人たちに、どうやって、自分が死んだことを分からせるか」ということです。

それで、あの手この手を考えるのですが、これはもう、あの世で人が死ぬ現場《げんば》に立ち会わせるしかないのです。「しかたがないな。霊界でも、ちょっと、医者をやってもらおうか」ということです。

あの世で、霊体《れいたい》として死ぬ人がたくさん出るので、そこへ行かせて、「どうぞ、外科手術《しゅじゅつ》でも何でも、好きなようにやってください」と言うわけです。

そうすると、彼らは延々とやり続けます。「何か、この世とは具合《ぐあい》が違うらしい」ということが分かるまで、やっています。

気の毒なのですが、行動において悪人でなくても、考え方や思想が間違《まちが》っている人の場合、難しいのです。

今、この世の考え方や思想の大部分が、ある意味で間違っています。宗教的信《しん》条《じょう》に関しては、私的《してき》な領域《りょういき》というか、土曜日や日曜日、あるいは平日の夜に、少し活動することはあっても、仕事の時間内に活動することはありません。

しかし、個人的《こじん》に何を信じていたかによって、救《すく》われたり救われなかったりするので、宗教を信じていなかった人たち、あるいは、物理系統《けいとう》の電気実験ばかりをやったりしていたような人たちは、なかなか、救うのが難しいのです。

そういう人たちには、今、彼らがいるような現代風の地獄で、しばらく勉強してもらわないと、どうにもならないのです。

〝思想犯《しそうはん》〟は「無間地獄《むけんじごく》」に隔離《かくり》される

特《とく》に、大勢《おおぜい》の人を間違って指導したような人の場合は、あの世でも、やはり、自分の考えを言い張っているので、なかなか難しい面があります。

あまりにも〝思想犯《しそうはん》〟で、あの世でも嘘《うそ》をつく人がいます。あの世へ行っても、ほかの人をつかまえては、「おまえたちは生きているのだ」と言い張る人が、たくさんいるのです。

あの世では、人々に、自分が死んだことを知ってもらい、上の世界に上がってもらわなければいけません。ところが、「君たちは生きているのだ。変な奴《やつ》が来て、『ここは地獄《じごく》だ』と言っているが、あいつは気が狂《くる》っているのだ。君たちには命《いのち》があるのだ。何かの事情《じじょう》で、ちょっと、別の世界に来ただけなのだ。ここは、この世なのだ」ということを言い張るような人もいるのです。

そういう人は、残念ながら隔離《かくり》しなければいけません。あまり、ほかの人に悪い影響《えいきょう》を与《あた》え、悟りを妨《さまた》げるようなことをされると、害悪になるので、隔離して一人だけにするのです。

それを、「孤独地獄《こどくじごく》」といったり、「無間地獄《むけんじごく》」といったりします。

そこは、周《まわ》りに人が全然いなくて、何もなく、真っ暗です。「日照《ひで》りでひび割《わ》れた大地のような、荒涼《こうりょう》として広い所、真っ暗で何もなく、草も枯《か》れ、木も枯れているような所に、ポツンと取り残されて、誰《だれ》とも会えない」とか、「深い井戸《いど》のなかのような所へポーンと入れられて、何も分からない」とか、そのような、一種の牢屋《ろうや》です。

そういう隔離政策《せいさく》も、いちおうあります。彼らは、自分の考え方がもう少し整理されるまで、ほかの人と接触《せっしょく》できないのです。

その井戸のなかのような所、あるいは、人が全然いない砂漠《さばく》のような所に、ずうっと何年間も置いておかれると、彼らは、ぼちぼち反省を始めます。「何かがおかしい」ということを反省し始めるのです。

彼らが、「もしかしたら自分が間違っていたのではないか」ということに思い至《いた》るまでは、どうにもならず、救いようがありません。そのため、彼らを導く人々は、彼らがそう考え始めるまで放《ほう》っておきます。ほかの人と接触をさせないで、置いておきます。彼らが、「何か自分に間違いがあったのかな」と、謙虚《けんきょ》になっていくのを待っているのです。

生前に、地位があったり、名誉《めいよ》があったり、名声《めいせい》があったりしたような人、部下がたくさんいて、大勢にかしずかれたような人は、なかなか難しいので、やはり、このような、孤独な所に一人で置いておかれます。

そうすると、彼らは、反省し、気落ちして、少しおとなしくなり、人の意見を聞きたくなります。「誰でもいいから、来てくれ。誰でもいいから、人の声が聞きたい。教えてくれ」という心境《しんきょう》になります。それまで、ちょっと置いておかれるのです。

そういう心境になった人でも、まだ、すぐには救えません。いきなりは無理なので、天使たちも、まだ、方便《ほうべん》として、いろいろなものに〝化けて〟出てきます。いろいろな姿をして導いたりします。

彼らには、まずは霊的な経験を積んでもらわないと、しかたがないので、そういう経験をさせたりするわけです。

このように、死後の世界においては、この世の価値観《かちかん》がまったく通用しません。この世で生きる意味では役に立った考え方や経験、知識《ちしき》が、死後の旅立ちの妨《さまた》げになり、邪魔《じゃま》をするのです。これをいかに清算するかが大事なのです。

したがって、死の下《もと》には、みんな平等です。この世の地位も学歴も財産《ざいさん》も家柄《いえがら》も、何も関係がないのです。もう、本当に一人です。一人の魂《たましい》として、同じように扱《あつか》われるのです。

5　死後、あの世での行き先が決まるまで

自分の死を信じない人もたくさんいる

死んだ人を棺桶《かんおけ》に入れるときに、よく、死《し》に装束《しょうぞく》を着せます。白い着物などの死に装束を着せて、棺桶に入れるのです。これは悪いことではありません。そのようにしないと、本人が、自分の死んだことに気がつかないことがあるからです。

生前《せいぜん》、幽霊《ゆうれい》などを信じなかった人たちは、たとえ、死に装束として、真っ白の着物を着せられ、頭に三角の布《ぬの》をつけられたところで、「そんなことをして騙《だま》すな」と、たぶん言うでしょう。「誰《だれ》かが何か演劇《えんげき》でもしているのではないか」などと思って、言うことをきかないでしょう。ただ、それでも、そのように、「死

んだ」というかたちをつくることは大事なのです。

死んだ人に死に装束を着せ、通夜《つや》をして、みんなが泣《な》いたり、お坊《ぼう》さんが来てお経《きょう》を上げたりしていると、本人は怒《おこ》って暴《あば》れたりしていることがよくあります。「何をするのだ。変なことをするな」と、よく家族に怒鳴《どな》ったりしています。「俺《おれ》は生きているではないか。俺が死んだことにするとは、こんな悪ふざけは許《ゆる》さんぞ。さすがに人間として許せない」と怒っている人がたくさんいます。

子供《こども》に対して、「いくら親不孝《おやふこう》だといっても、これは、やりすぎだ。親をおもちゃにしている。俺はまだ生きているのに、死んだことにして、額縁《がくぶち》に入れた写真を飾《かざ》って線香《せんこう》を上げるとは、悪ふざけにも程《ほど》がある」と、怒鳴りまくっている親もいます。

奥《おく》さんに対して、「俺を死んだことにして、おまえは新しい男を探《さが》しているのか」などと怒っている人もいます。「俺は、ここに、ちゃんといるのに、死んでしまったことにして、再婚《さいこん》する気だな。許さんぞ」などと言っている人もいるのです。

彼《かれ》らは、自分が死んだことを、まず信じません。まだ生きているつもりでいるのだから、どうしようもないのです。

また、彼らは、「自分の声が相手に聞こえない」ということで、すごく怒ります。

それから、周《まわ》りの理《り》不尽《ふじん》さ、情《じょう》のなさを責《せ》めます。

そして、病院へ行き、医者に抗議《こうぎ》をします。「おまえは、俺に、ひどいことをしたな。幻覚剤《げんかくざい》か麻酔《ますい》か何かを打ったのだろう。それで、俺は幻覚を見ているのではないか。脳《のう》に何か幻覚症状《しょうじょう》が起きているのではないか」と怒ったり、いろいろするのです。

そのうちに、たいていは、昔《むかし》、死んだ人がやってきます。自分が、生前、「あの人は死んでいる」と知っていた人です。それは、おじいさん、おばあさんだったり、学校の先生だったり、友達だったりしますが、要するに、自分より前に死んだ人がやってくるのです。

それで、「死んだ人がやってきている。ちょっと、おかしいな」という思いはあるのですが、それでも、また合理的に考え、「夢《ゆめ》を見ているのだ」と思います。夢のなかで、死んだ人と会うことはよくあるので、死んだ人に会っても、「自分は夢を見ているのだ」と思うのです。最初は「本当かな」と思うのですが、やがて、「ああ、これは夢を見ているのだ。おじいちゃん、おばあちゃんの夢を見ているのだ」というように思うわけです。

そして、その相手と会話のできることが分かってくると、「あれ、この人には、俺の話が聞こえている。生きている女房《にょうぼう》や子供たちは、全然、俺の話を聞いてくれないのに、死んだ人が聞いてくれるのか。これは、夢のなかだから会話ができるのだな。なかなかリアルな夢だな。よくできている」などと思うのです。

そして、「現実《げんじつ》の人たちのほうは、全然、話が通じないな。まったく通じない。みんな、鼓膜《こまく》が破《やぶ》れたか何かして、耳がおかしくなったのだろう。昔から耳が少し遠かったかもしれないけれども、本当に聞こえなくなった」と言って、怒っています。

そのように、たいていは、生きている人を責めます。あるいは、「病院の手違《てちが》いで、何か薬を打たれて、おかしくなっている」「どこか別な所に隔離《かくり》されたた」など、とにかく、「何か周りがおかしいのだ」と考えます。

そして、死んだ人が来ても、それをそう簡単《かんたん》に信じないのです。

儀式《ぎしき》としての「三途《さんず》の川《かわ》」

そういう人たちに対しては、しかたがないので、霊界《れいかい》でも、死んだことを教える〝儀式《ぎしき》〟を何かしなくてはなりません。そうしないと分かってくれないのです。そこで、第一関門《かんもん》として、日本人であれば、有名な「三途《さんず》の川《かわ》」が出てきます。日本は川が多いので、日本人は川を見慣《みな》れていますが、外国には川がない所もありますす。川がない所の人が死んだときには、川でないものが出てくる場合もあります。いわゆるインディアンなどであれば、沼地《ぬまち》が出てきたりすることもあります。川はとうとう出ないで、山が出てくることもあるし、湖が出てくることもあるし、大海原《おおうなばら》、海が出てくることもあります。

ただ、日本人の場合は、ほとんどが川です。三途の川が出てくるのです。

この三途の川は、そういう人のために、あちこちにつくってあるというか、流してあります。そうしないと分かってくれないので、三途の川は各県別に用意してあります。これが近所にないと、やはり不自由するので、困《こま》らないように、だいたい、各県、各地域《かくちいき》に三途の川を流してあるのです。

そして、まず、彼らに、死に装束で、そこを渡《わた》らせます。彼らは、川辺《かわべ》へ来て、「何か、昔話《むかしばなし》で聞いたことがあるような川が流れている」と思い、渡っていくのです。

そのとき、水に入ると、もちろん、冷たい感じがして、「ああ、冷たいな。本当の川なのかな」と思うのですが、またすぐにそれを信じなくなります。「これは体が冷えているのだ」と思ってしまうのです。「自分は、病院か家で寝《ね》ているのだけれども、体が冷えているために、こういう寒い夢を見ているのだ。体が冷えているのだな」と思いながら、川を渡ったりするわけです。

この川を渡るときに、水に入ってジャブジャブと渡る人、上に浮《う》かんだままスーッと渡る人、橋が出てきて橋を渡る人など、いろいろな人がいます。

これは、もちろん、あの世のサービスの感覚の差でしかないので、現実に、どうということはないのですが、やや、出来のよい人の場合は、橋が出てきて、それを渡らせてもらえたり、水の上をスーッと渡ったりし、出来の悪い人の場合は、水のなかに入ってジャブジャブと渡っていったりするのです。

「何か、聞いたことがある話だな」という感じです。

川は非常《ひじょう》に澄《す》み切っていますが、川の底には、いろいろなものが落ちています。いろいろな人の名札《なふだ》や名刺《めいし》、お金など、先に渡っていった人たちが執着《しゅうちゃく》を持っていたものが、たくさん沈《しず》んでいるのです。それが見えます。

川の底に、いろいろなものが落ちているので、「何だ、これは。ひどい川だな。ちょっと変わっている川だな」などと思いながら渡っていきます。

そのようにして川を渡っていくと、対岸には、たいていの場合、前述《ぜんじゅつ》したような、昔、亡《な》くなった人、すなわち、学校の先生や、おじいさん、おばあさん、ひいおじいさん、ひいおばあさん、あるいは、早く亡くなった子供やきょうだいなどが来ていることが多いのです。そして、「お迎《むか》えに来ましたよ、○○さん」というような言い方をするわけです。

ところが、川を渡っている途中《とちゅう》で、「川の向こう側《がわ》にいるのは、死んだ人ばかりだな。自分には少し早いかな」と思った人は、この世に戻《もど》ってくることがあります。

あるいは、途中で、後ろから、「お父さん、まだ早いよ」「逝《い》くなよ」などという、生きている家族の声が聞こえてくることがあります。これは、たいてい、病院や自宅で、周りの人が病人に取りすがり、「まだ死なないで」と言ったりして、介抱《かいほう》しているようなときです。

そういう後ろからの声が聞こえて、振《ふ》り向いた場合には、だいたい戻ってくるのです。声が聞こえても振り向かなかった場合は、もう戻れなくなりますが、振り向いた場合には、重体だった人が息を吹《ふ》き返したりすることがあります。たいていは後ろから声が聞こえるのです。

対岸にいるのは死んでいる人ばかりなので、「ちょっと、どうかな」と思い、渡るのをやめたりすると、戻ってくるのですが、「向こうは、死んでいる人ばかりだけれども、まあ、きれいそうな所だから、いいかな」と思い、渡り切ってしまうと、だいたい、もう戻れなくなります。

三途の川を越《こ》えるときは、実際《じっさい》は、「霊子線《れいしせん》」（シルバー・コード）が切れるときなのです。肉体と霊体《れいたい》のあいだは、後頭部《こうとうぶ》あたりから出ている霊子線というものでつながっているのですが、これが切れるときが、三途の川を渡ったときなのです。霊子線の切れるイメージが、実は、川を渡るイメージと重なるわけです。

あの世に渡ると、そこは、日本人の場合、菜《な》の花畑《はなばたけ》であることが非常に多いのです。日本人は、昔から、菜の花の季節に、お遍路《へんろ》さんをしたり、いろいろなことをしていたので、霊界として、そのようになっているのです。

お遍路さんは、よく菜の花の季節に四国八十八箇所《しこくはちじゅうはっかしょ》を回っています。それは、春、あるいはお彼岸《ひがん》です。そのため、あの世でも、菜の花が出てきたり、彼岸花《ひがんばな》も咲《さ》いていたり、人によっては桜《さくら》の花が咲いていたり、いろいろするのですが、春のイメージが非常に強く、また、お彼岸のイメージもあるのです。

そのように、三途の川を渡っていくと、そこは非常にきれいな所で、川を渡り切ってしまうと、だいたい、もう帰ってこられないわけです。

そして、諄々《じゅんじゅん》とした説得《せっとく》が続きます。

平凡《へいぼん》な人というか、普通《ふつう》の人の場合、たいてい、このような感じです。

三途の川を渡《わた》らない場合

一方、極悪非道《ごくあくひどう》と言うと語弊《ごへい》がありますが、行為《こうい》において、悪の行為を貫《つらぬ》き、心において、考えにおいて、まったく仏神《ぶっしん》の考えの正反対で、悪さを重ねてきたような人の場合には、その三途の川さえ渡《わた》れないことがよくあります。

そういう人は、いわゆる「真《ま》っ逆《さか》さまに堕《お》ちる」という感じになります。ちょうど、エレベーターの上のワイヤーが切れたような感じでしょうか。川は渡らないのですが、「ああーっ」と地下に堕ちていく感じです。

これは、どのくらい堕ちたと感じるかが、その人の罪《つみ》の深さなのです。あまりにも悪いことをした人は、地球の中心部まで堕ちたような感じ、いったい何千キロ、何万キロ堕ちたか分からないような感じになります。ダーッと堕ちていくのです。これは、たまりません。

そして、止まった所で、あまり悪い人の場合は、前述したように、まずは一人《ひとり》にされることのほうが多いのです。まず、真っ暗ななかで一人にされます。

それから、いろいろと、地獄巡《じごくめぐ》りが順番に始まっていきます。コースがさまざまにあるのです。

こういう、真っ逆さまに堕ちる人がいます。生前から、本当に、悪霊《あくれい》、悪魔《あくま》がたくさん憑《つ》いていたような人は、そうなることが多いのです。何十年ものあいだ、悪霊、悪魔が何体も憑いていたような人は、だいたい、ダーンと堕ちてしまいます。こういう人の場合は、三途の川を渡ることさえできません。そこまで行かないで、まっすぐ堕ちます。

普通の平均的《へいきん》な人は三途の川を渡ります。

それから、三途の川を渡る前、肉体から意識《いしき》が抜《ぬ》けていくときに、光のドームのようなものを通る気分を味わう人がかなりいます。

それはトンネルのようなものでしょうか。ちょうど、トンネルから、雪どけの新潟《にいがた》かどこかのほうにでも、突然《とつぜん》、出るような感じです。そういう、トンネルを越えて光の世界に出るような感じを味わうことが多いのです。

これは、肉体から魂《たましい》が抜けていくときの感覚なのです。その飛翔《ひしょう》感覚が、トンネルを出ていくような感じとして出るわけです。

そのあとは、例の三途の川を渡ることが多いのです。ただ、トンネルを出る感覚なしに、いきなり川辺に出るという人も、けっこういます。

もちろん、生前に、ある程度《ていど》、悟《さと》っていて、宗教《しゅうきょう》世界などについて、よく知っていた人の場合は、わざわざ、そういう手順を踏《ふ》む必要もなく、最初から、宗教関係者、光の天使や菩薩《ぼさつ》たちが迎えに来ていることもあります。「ほら、死んでみたら、本当だったね」と、偉《えら》いお坊《ぼう》さんや観音様《かんのんさま》のような人が、たくさん迎えに来ているという人もいるのです。

そのあと、だいたい、ガイダンス、あの世のオリエンテーションがあり、そういう人たちが、一通《ひととお》り、四次元の世界の精霊界等《せいれいかいとう》を見せてくれます。「あの世の霊に移行《いこう》したのだ」ということを教えるために、いろいろな所に連れていったりして、見せてくれることがあるのです。これは、いちおう、経験《けいけん》として、見なければいけないのです。

そのように、この世からあの世への入り口あたりの所をしばらく経験してから、本来の世界へ順番に上がっていくことがあります。まず、五次元あたりに上がって、少し生活し、昔の知り合いなどと、しばらく一緒《いっしょ》にいたりしてから、また、だんだん、もといた世界に上がっていくのです。

本当に悟っている人の場合であれば、そのようなこともなく、スーッと一直線に上がることもあります。そういう人も、なかにはいます。

過去《かこ》を映《うつ》す「照魔《しょうま》の鏡《かがみ》」

普通の人の場合、三途の川も出てくるのですが、そのあと、やはり、死んでからの自分の行き先を決める必要があります。

地獄へ真っ逆さまに堕ちる人の場合は論外《ろんがい》なのですが、普通の人の場合、まず、生前の清算をするまでのあいだは、天国・地獄が分かれる前の所、この世の延長《えんちょう》線上《せんじょう》の霊界にいます。

そこで、よく言われるように、過去《かこ》を映《うつ》すスクリーンを見ます。スクリーンというのは現代語《げんだいご》で、現代の映画《えいが》やビデオができて初めて出てきたものであり、昔で言えば、過去を映す鏡《かがみ》です。

ガラスのようなもののことを、昔は「瑠璃《るり》」とか「玻璃《はり》」とか言っていたので、その過去を映す鏡を、「瑠璃玻璃《るりはり》の鏡」、略《りゃく》して「瑠璃玻《るりは》の鏡」と言う場合もあります。あの世の人と、いろいろ話をしてみたところでは、彼らは、だいたい、「『照魔《しょうま》の鏡』という言葉をよく使う。『照魔の鏡』と言うことが多い」と述《の》べています。それは、生前の悪業《あくごう》、悪いことをしたことなどを映し出す鏡なのです。

そういう、イメージ的には鏡、もしくはスクリーンのようなものがあり、そこに、知り合いなども集まってきていますし、導《みちび》きの天使たちも来ています。そこで、自分の生前の何十年かの生涯《しょうがい》、個人《こじん》ヒストリーを上映《じょうえい》してくれるのです。

この世的には、上映時間は、本当に短い時間なのですが、気分的には一時間ぐらいの感じでしょうか。

生まれてからの、要所要所、いろいろな人生の転機《てんき》、要するに、自分の意識で見るとスナップ写真みたいに写っているようなところが出てきます。

この世に生まれて、幼少《ようしょう》時代、小学校時代、中学校時代があり、それから、進学したり、卒業したり、結婚《けっこん》したり、就職《しゅうしょく》したり、転職《てんしょく》したり、離婚《りこん》したり、破《は》産《さん》したり、再建《さいけん》したり、子供が大きくなったり、子供が亡くなったり、いろいろなことがあります。

そういう、自分の経験したことのトピックスが、次々と出てきて、「そのつどそのつど、自分がどのように思ったか。どう考えて乗り越《こ》えてきたか」というようなことが、ザーッと出てくるのです。

これは視覚《しかく》的に見えます。鏡のようなもので見る人もいるし、スクリーンで見る人もいますが、一通《ひととお》り、人生がバーッと出てくるのです。

このとき、周りの人が陪審員《ばいしんいん》のようになり、それを見ているうちに、「この人は、この判定《はんてい》」という感じで、「マル」「三角」「バツ」と、だいたい反応《はんのう》が出ます。「バツ、バツ」とか、「マル、マル」とか、「三角」とか、イメージ的に出てくるのです。

人生映画の上映中に、陪審員の雰囲気《ふんいき》が、「ああ、これはもう駄目《だめ》かな」「まあまあだったかな」「おお、意外に優《すぐ》れものではないか」など、いろいろ出てきて、本人も自分でだんだん分かってきます。

これは、普通ぐらいの幅《はば》の人、すなわち、普通を「百」としたら、「八十」から「百二十」ぐらいのあいだに入っている人の場合です。「少しは悪いことをしたけれども、それほど、ずうっと極悪人《ごくあくにん》でもないし、少しはよいことをしたけれども、大したこともない」というあたりの人が、だいたい、このコースに入るのです。

一通り、過去を見て、自分の行き場を決めます。「この結果《けっか》から見たら、少しは地獄も要《い》るかな」ということであれば、「しかたがない。今すぐ地獄へ行きます」という感じになります。「三年ぐらい行ってきます」「十年ぐらいは、しかたがないでしょうか」「一週間で勘弁《かんべん》してください」など、その後のコースが、これで分かれるのです。本人も納得《なっとく》して、行き先が分かれていきます。

このように、人生映画を上映して、本人に納得してもらえると、簡単で、本当にありがたいのです。今はビデオというものがあるので、みなさんもイメージとして分かるでしょうが、これは、記憶装置《きおくそうち》があって、人生の映像《えいぞう》がビデオのようになっているのです。

なかには、死ぬときに、これを走馬灯《そうまとう》のように見る人もいます。例えば、登山家には、「高い山に登っていて落下し、落ちるまでのあいだに、それを見る」というような人が、たまにいます。それは、本当は数秒なのでしょうが、そのあいだに、長い長い人生がザーッと思い出されるわけです。

守護霊《しゅごれい》は〝生前《せいぜん》ビデオ〟を撮《と》っている

人間は霊体として肉体に宿っているのですが、想念《そうねん》のビデオは、記録映画のように、全部きちんと撮《と》れています。

「そこに自分が映っているから、おかしいではないか」と思うかもしれませんが、「自分の姿《すがた》が映っている」という、このカメラアングルから分かるように、これは守護霊《しゅごれい》が撮っているものと見てよいのです。「守護霊から見れば、こうなる」というものが映っているのです。

守護霊の仕事として、実は、もう一つ、そういう仕事があるわけです。守護霊は、その人の〝生前《せいぜん》ビデオ〟を撮っているのです。その人にとって嫌《いや》なところも、ずうっと、みな撮っています。よいところも撮っていますが、嫌なところも撮っています。そして、その全部が、「はい、上映」ということでスクリーンにかかり、判定が出るのです。

だいたい、これが、平均的な人の場合です。

そこまで行かない人もいます。「生前から、反省の習慣《しゅうかん》もあり、宗教的悟りも十分である。死んでも別に困らない。ほぼ分かっている」というようなタイプの人は、わりに話は早いのです。

ただ、霊界では、この世とは物理法則《ぶつりほうそく》が違《ちが》い、動き方が、UFOに乗って飛ぶような感じで、ちょっと怪《あや》しいので、そのへんに慣れなければいけません。しかし、そういう必要のない人もいます。

それから、地獄のなかでも、〝地獄の一丁目〟というか、よくあるポピュラーな地獄に行くような人には、前述したとおり、照魔《しょうま》の鏡《かがみ》で自分の姿を見てから行く人が、わりあい多いのです。

これは〝お裁《さば》き〟であり、昔であれば閻魔様《えんまさま》が出てくることになりますが、今どき閻魔様はあまり出ません。ただ、ときどき、そのビデオ上映会のとき、本人に文句《もんく》を言わせないために、怖《こわ》そうな人が座《すわ》っていることはあります。

古式《こしき》ゆかしいほうが理解《りかい》しやすい人にとっては、閻魔様となって出てくるかもしれませんが、このときに座っている人は、職業的《しょくぎょう》に見るかぎり、やはり、裁判《さいばん》官《かん》や検察官《けんさつかん》、警察官《けいさつかん》、学校の校長先生や教頭先生など、教育や人の犯罪《はんざい》などにかかわるたぐいの職業が好きだったような人たちです。そういう人たちが、好《この》んでやっているようには見えます。

上映会担当《たんとう》で座っているのは、たいてい、そのような職業をやっていた人で、裁判官などは打ってつけです。彼らは、自分の生前ビデオを見せられるときには気の毒ですが、あの世で、だいたい清算が終われば、そういう仕事をやっていることが多いのです。それに向いているのです。

閻魔様《えんまさま》といっても、一人では無理《むり》で、たくさんの人数が要ります。人口が多すぎるので、やはり公務員《こうむいん》ぐらいの人数が要るのです。そのくらいいないと、とても、間に合わないのです。

そのように、いろいろな役割《やくわり》をやっている人がいます。

そういう人生が展開《てんかい》されるということです。これが、何年か何十年か後《のち》に、みなさんを見舞《みま》う未来《みらい》です。こちらが、本当の世界なのです。

したがって、「今、守護霊によって人生をビデオに撮られている」と思ってください。もう、ガラス張《ば》りで、全部、お見通しです。心のなかで思ったことは丸映りです。全部、出てきます。

殺人を犯《おか》そうとして踏《ふ》みとどまったとしても、そのとき、「本当は殺したかった」と思っていたならば、それが四コママンガのようにパーッと出ます。本当に出てきます。

したがって、思いも、よく調律《ちょうりつ》しておいたほうがよいのです。

そのように、丸見えなのです。そういう心の声まで、きちんと記録され、姿も記録されています。自分の変化していく姿も出てきます。

誰《だれ》から見られてもいいような人生を

死後の世界については、もう少し話をする必要もありましょうが、本章では、「死の下《もと》の平等」ということで、お話ししました。

この世を去るときには、どのような人も、すなわち、どのような権力者《けんりょくしゃ》も、どれほど「頭がよい」と言われた人も、どのような大金持ちも、どのような美人も、美人でない人も、年齢《ねんれい》に関係なく、みんな、一定の条件《じょうけん》の下《もと》に平等になります。

「死の下の平等」であり、全部、〝お白州《しらす》〟で明らかにされるのです。

それに耐《た》えたあとに、死後の世界が待っています。生前の十倍ぐらいの時間は死後の修行《しゅぎょう》コースがあると見てよいのです。

そのことを考えれば、この世で、誰《だれ》から見られてもいいような人生を、なるべく生きたほうがよいと思います。それをお勧《すす》めして、話を終えたいと思います。

第2章

死後の魂《たましい》について（質疑応答《しつぎおうとう》）

1　死期が近づいた人間の魂《たましい》の様相《ようそう》

【質問】
死期が近づいた人間の魂《たましい》の様相《ようそう》について教えてください。

☆　☆　☆

死の一年ぐらい前から、さまざまな準備《じゅんび》が始まる

人間が地上を去る前には、もちろん、魂《たましい》に変化が現《あらわ》れます。

霊的《れいてき》に見た場合、その人が地上を去ることは、一年ぐらい前に、だいたい確定《かくてい》します。もちろん、運命的には、もっと早くから、ある程度《ていど》の予想はあるのです

が、実際《じっさい》に地上を去ることが確定するのは死の一年ぐらい前です。

そうすると、天上界《てんじょうかい》のほうでは、迎《むか》え入《い》れの準備が始まります。「その人が還《かえ》ってきたときに、どのように迎え入れるか」ということについて、守護霊《しゅごれい》や、その他の知人、そういう知り合いの人たちの心の準備が少しずつ始まります。

はっきりしたシグナルが出てくるのは三カ月ぐらい前です。そのころになると、天上界のほうには、「いよいよ、もうすぐ還るぞ」という通信が、はっきり来ます。生きている人の魂のなかから、実は、モールス信号ではないけれども、信号音が出てくるのです。「もう還るよ、還るよ、還るよ。ピッピピッピッピッピーッ」というように出始めます。

一カ月ぐらい前になってくると、魂のなかの一部が変化してきます。魂のなかの一部分が、多少、肉体から出て、あの世とこの世を行ったり来たりすることが、かなり激《はげ》しくなってきます。

そういう人は、寝《ね》ているときや病気のときなど、あまり表面意識《いしき》がしっかりしていないときに、だいぶ霊界体験《れいかいたいけん》をするようになります。死ぬ一カ月ぐらい前になると、たいてい病気をしたりしているでしょうが、そのようになると、ベッドに横たわっているときに、かなり霊体験をします。

そして、「いろいろな景色《けしき》を見てきた」「今日は、変な人が来た」などということを、ぽろぽろと言い始めるようになってきます。「見たことがないような人を見た」「変な景色を見た」などと言い始めます。

これは、もう、だいたい、あの世に行く準備が始まっているのです。魂が、あちらへ行ったり、こちらへ来たりし始めている証拠《しょうこ》です。

最後に、具体的《ぐたい》に日時《にちじ》まではっきりするのは三日前です。三日前になると、もうはっきりします。このときには、天上界では〝マニュアル〟ができていて、「その人をどのように迎え入れるか」ということについては、全部、ある程度、決まっています。あとは、その人が息を引き取るのを待つだけです。

いざ息を引き取ったら、それからあとのことは、また、いろいろありますが、亡《な》くなるまでの様相《ようそう》は、そのようなものです。

2　死後、人間の魂《たましい》はどうなるか

【質問】

死後、人間の魂《たましい》はどうなるのでしょうか。

☆　☆　☆

魂が肉体から離《はな》れるまでの状況《じょうきょう》

死んだ瞬間《しゅんかん》の段階《だんかい》では、魂《たましい》は肉体にすっぽり重なるかたちになっています。霊的《れいてき》に見ても、せいぜい一センチか二センチ肉体から出ているぐらいで、二重写《にじゅううつ》しのようなかたちになっており、ほとんど重なっています。

そして、肉体のほうで、心臓《しんぞう》が止まったり、脳波《のうは》が止まったりしますが、その段階では、まだ、本当の意味の死ではありません。そのときは、魂が肉体のなかにすっぽり入っています。

普通《ふつう》の場合、魂が肉体から離《はな》れるまでに、だいたい一日から二日近くかかります。

通夜《つや》という習慣《しゅうかん》があり、この通夜の期間を過《す》ごしてからでないと、火葬場《かそうば》で肉体を焼きません。なぜ焼かないかというと、まだ魂が肉体から離れていないからです。伝統《でんとう》的に、「魂が離れていないあいだは肉体を焼いてはいけない」ということが知られているのです。

死んですぐ、まだ魂が抜《ぬ》けていないときに、肉体を火葬場に持っていって焼くと、どうなるでしょうか。それは、「あなたが、今、火葬場で焼かれたら、どうなるか」ということを考えれば分かるでしょう。それは恐怖《きょうふ》です。ものすごい熱を加えられるので、大変な恐怖心でいっぱいになり、顔が引きつって、棺桶《かんおけ》のなかで暴《あば》れます。実際《じっさい》、たまには、火葬場のなかで生き返る人が出るそうです。

そのように、死んですぐ焼かれた人は、大変なことになり、そのあと、苦しむのです。

そのため、すぐには焼かないで、期間を置《お》きます。

そうしていると、やがて、セミが殻《から》を脱《ぬ》ぐようなかたちで、魂は次第しだいに肉体から遊離《ゆうり》していくのです。

まず、魂の上半身の部分が起きてきます。そのあと、魂全体が体から浮《う》いて出てきて、スーッと空中に浮き上がります。

このときに、魂と肉体は、頭の部分から出た一本の線でつながっています。「霊子線《れいしせん》」（シルバー・コード）という線です。これがつながっているうちは、まだ完全な死ではないのです。これが、やがてプチッと切れます。それが切れたときに、「完全に死んだ」というかたちになります。

地上を去り、死後の世界へ

そのあと、しばらくは、自分の通夜や葬式《そうしき》が営《いとな》まれているところ、それから、自分が火葬場で焼かれているところを、自分で見ることになります。そして、「葬式で飾《かざ》られている写真を見たら、なんと、私の写真が飾られている」ということで、「どうやら、私は死んだらしい」と悟《さと》るわけです。

また、各人には守護霊《しゅごれい》というものがいて、そのころに、この守護霊が迎《むか》えに来ます。人間が死ぬときには、守護霊が迎えに来て、「あなたは、実際は死んだのだ」ということと、「地上への執着《しゅうちゃく》を去らなければいけない」ということを、懇々《こんこん》と教えてくれ、それから、その人が行くべき場所に連れていってくれます。

そのような導《みちび》きがあるのです。

そこには、たいてい、自分より先に死んだ身内《みうち》や友人が来ています。彼《かれ》らは、涙《なみだ》を流しながら、いろいろと昔《むかし》の話をしたりし、やがて、先輩《せんぱい》として死後の世界の説明をしてくれます。

そのあと、第一段階として、地上を去ってまもない人たちばかりの世界で、しばらく修行《しゅぎょう》をします。肉体がない生活に慣《な》れる訓練《くんれん》をするのです。

それから、何年かたつうちに、次第しだいに、この世に生まれてくる前に自分がいた世界へと還《かえ》っていくことになります。そのときには、また次の先生役の人が迎えに来て、連れていってくれます。

人間は、死後、一般《いっぱん》に、このような過程《かてい》をとるのです。

3　死後の世界での年齢《ねんれい》について

【質問】

人間は、死ぬと、死んだ当時の年齢《ねんれい》のまま、赤ちゃんは赤ちゃん、お年《とし》寄《よ》りはお年寄りの姿《すがた》で生活するのでしょうか。

☆　☆　☆

死後三年ぐらいで、自分が望む年齢の姿《すがた》になれる

もちろん、死んだときの意識《いしき》というものはあります。

しかし、実際《じっさい》には、亡《な》くなる人は、お年寄《としよ》りが圧倒《あっとう》的に多いわけです。そう

すると、「死んだ当時のままの意識でいる」ということならば、あの世の世界は〝老人天国〟になってしまいます。

これは、私たちが考えている天国の風景《ふうけい》とは違《ちが》います。それは、あちこちに養《よう》老院《ろういん》（老人ホーム）が立っている姿《すがた》そのものです。決して、それが悪いとは言いませんが、ただ、一般《いっぱん》に言われる天国の姿と違うのは事実です。

実際は、どうなるかというと、地上を去ってしばらくのあいだ、地上的属性《ぞくせい》を拭《ぬぐ》い去るための期間があります。これは人によって違い、ごく短期間で終わる人、三日ぐらいで終わる人もいれば、もといた世界に一直線に還《かえ》る人もいますが、平《へい》均《きん》的には、だいたい三年ぐらいです。三年ぐらいは、どこかで、地上の垢《あか》を落とすための修行《しゅぎょう》をします。

そのときに、自分の魂《たましい》の本質《ほんしつ》というものを知るようになってきます。

そのあと、「霊的存在《れいてきそんざい》であるということは、どういうことか」ということを、守護霊《しゅごれい》や指導霊《しどうれい》から教え込《こ》まれます。そして、「霊界《れいかい》においては、自分の姿形《すがたかたち》を思いのとおりに変えられる」ということを教えられ、実体験をして、それを学びます。例えば、洋服も、「こういうものを着よう」と思えば、その思いのとおりのものを出せるようになるわけです。そういうことを、実体験で教えられます。

これを学ぶのに、平均的には、地上時間で三年ぐらいかかるのです。

それからあとは、姿としては、各人が望む状態《じょうたい》になれます。年齢《ねんれい》のいっている姿が好きな人は、そういう姿でいますし、若《わか》い姿が好《この》みの人は、若い姿でいます。

子供《こども》の魂《たましい》は天上界《てんじょうかい》で大人にしていく

赤ちゃんの魂《たましい》についてですが、死んだときに赤ちゃんであれば、もちろん、意識は赤ちゃんのままで、あの世へ還《かえ》ってきます。それで、自分が地上を去ったということの意味が分かりません。

そのため、天上界《てんじょうかい》のなかで子育ての魂修行《たましいしゅぎょう》をしている霊たちがいるのです。それは、地上にいたときに子供《こども》を産んだことがない女性たちです。そういう女性たちは、やはり魂修行が残っていて、地上でできなかった魂修行を、来世《らいせ》で、すなわち天上界において、することが多いのです。

子育てをしたことのない女性たちが、こういう赤ちゃんの魂を引き受けます。そして、地上時間で言うと二十年ぐらい、赤ちゃんが大人になるまでぐらいの期間をかけて、その魂を大人にしていくのです。仕事として、こういうことをしている人たちがいます。

子供《こども》が亡《な》くなった場合についても同様です。天上界に、やはり、保育所《ほいくしょ》や小学校、中学校に当たるようなところがあり、先生たちがいて、一定の期間、子供の魂を教育して、大人の魂にしていきます。地上で学んでいないために分からない部分について教え、魂を大人にしていくのです。

霊界においては、年齢は、結局は自由なのですが、ただ、望みの年齢になるための準備《じゅんび》期間があるということです。それは、たいていの人は三年ぐらいです。

以前、松下幸之助《まつしたこうのすけ》氏が亡くなったとき、彼《かれ》の霊は、亡くなった日の夜十時半に、私のところを訪《たず》ねてきました。私は彼と十分ほど話をしたのですが、その後、松下氏は梵天界《ぼんてんかい》にまっすぐ還っています。全然、途中《とちゅう》にとどまることなく、まっすぐに還っているのです。そういう魂もいます。

地上にいたときに、ある程度《ていど》、霊的世界のことを知っていると、死んでから、それほど反省期間が要《い》りません。そういう人は、もといた世界にスーッと還れるのです。

4 自殺した人の霊《れい》はどうなるか

【質問】

自殺した人の霊《れい》は地獄《じごく》へ行くのでしょうか。そうであるならば、そういう人は、どうすれば天上界《てんじょうかい》へ上がっていけるのでしょうか。

☆　☆　☆

自殺霊《じさつれい》は地縛霊《じばくれい》になることが多い

「自殺霊《じさつれい》は、原則《げんそく》、天上界《てんじょうかい》に上がれない」というのは、本当のことです。使命《しめい》を全《まっと》うできずして命《いのち》を絶《た》った場合には、たいてい、「天上界に上がれない」というよりも、むしろ、「地獄《じごく》まで行かない」ということが多いのが事実です。

彼《かれ》らは、地獄に行かずに、この地上の、ある特定の空間、例えば、自分が自殺した場所などにとどまります。つまり、地縛霊《じばくれい》になることが多いのです。地縛霊にならないとしたら、たいてい、家族や親類などのところにやってきます。要するに、あの世行きができないのです。地獄まで行くこともできなくて、自分の生活範囲《はんい》のなかにとどまろうとすることが多いわけです。

そういう人が悟《さと》るのには、かなりの時間がかかります。個性差《こせいさ》がありますが、「そう簡単《かんたん》には悟ることはない」と言ってよいでしょう。早い人でも、やはり数年ぐらいかかることが多いのです。

自殺霊が天国に行くための条件《じょうけん》

ただ、自殺した人はすべて天国に入《はい》れないかというと、そうではなく、例外があることは事実です。

例えば、芸術家《げいじゅつか》のなかに、幾《いく》つか、そういうケースがあります。日本で言うと、白樺派《しらかばは》の作家で、有島武郎《ありしまたけお》という人がいますが、この人は菩薩《ぼさつ》界《かい》に還《かえ》っています。自殺という死に方をしましたが、もともと使命があり、人道《じんどう》主義を広めるような立場で生きた人なので、きちんと天上界に還ってきています。それから、川端康成《かわばたやすなり》も天上界に還っています。

そのように、天上界に還っている人もいますが、地獄へ行ったままになっている人も数多いことは事実であり、自殺したときに自分がどうなるかは一つの賭《か》けです。したがって、自殺はしないほうがよいのです。

一般《いっぱん》の人の場合には、自殺すると、普通《ふつう》は天国には行けません。

それでは、どういう条件《じょうけん》を満たせば、やがて天国に行けるかというと、通常《つうじょう》、二通《ふたとお》りあります。

一つは、「本人が自覚する。目覚める」ということです。本人が、あの世の世界のことが分かり、自分の間違《まちが》いを詫《わ》びれば、時が来て、成仏《じょうぶつ》することもありま す。

もう一つは、非常《ひじょう》に幸運に恵《めぐ》まれ、その人を諭《さと》す人が現《あらわ》れてくる場合です。

そういう人は、生きている身内《みうち》から出てくることもありますし、生きている友達のなかにいることもあります。あるいは、本人が、過去《かこ》に、功徳《くどく》を積《つ》むような生き方をしたことがあったならば、今回は、たまたま、そういう死に方をしても、縁《えん》のあった人が天上界にいて、救《すく》いに来てくれることもあります。そういう人が熱心に諭してくれ、その他力《たりき》によって悟っていくわけです。

要するに、そういう力が働いてくるには、過去に、どこかで、それだけの功徳を積んでおく必要があります。徳《とく》がなければならないのです。

自殺者の場合は、たいていエゴイストなのです。自分のことしか考えず、自分の先行《さきゆ》きの見込《みこ》みがなくなったら、身を捨《す》ててしまい、「何もかも終わりだ」という考え方をします。これがいけないのです。

自殺した人の成仏の条件も、一般の人の成仏の条件と、ほとんど同じだということです。ただ、自殺した人の場合は、死に方が悲惨《ひさん》なだけ、難《むずか》しいところはあります。

5 戦争や震災《しんさい》による不成仏霊《ふじょうぶつれい》たちの供養《くよう》

【質問】

戦争や震災《しんさい》によって、一度に多くの人が亡《な》くなった場合、そういう地域《ちいき》の不成仏霊《ふじょうぶつれい》たちに対する供養《くよう》を行《おこな》うことは、許《ゆる》されるのでしょうか。また、それは、地域の浄化《じょうか》にとって、どのくらい有効《ゆうこう》なのでしょうか。

☆　☆　☆

多くの人を供養するには、かなりのエネルギーが要《い》る

そのような場合、仏教《ぶっきょう》的には、「千僧供養《せんぞうくよう》」といって、「千人の僧侶《そうりょ》で供養す

る」というやり方があります。地域《ちいき》全体になると、規模《きぼ》が大きいし、霊《れい》の数が多いので、「導師《どうし》一人《ひとり》ぐらいでは、ちょっと難《むずか》しい」ということで、「千人ぐらいの僧侶が集まって読経《どきょう》する」というようなことをします。

要するに、念力《ねんりき》を強めるのです。「集合念を集めて行《おこな》わないと、できない」ということで、大勢《おおぜい》で行うわけです。

例えば、阪神大震災《はんしんだいしんさい》のように、非常《ひじょう》に多くの人が亡《な》くなると、ちょっとやそっとのことでは天上界《てんじょうかい》に上がっていかないでしょう。供養するにしても、やはり、かなりのエネルギーが要《い》ります。それも、一回、供養しただけでは、まず、スッとは上がっていきません。個人《こじん》個人に、この世への執着《しゅうちゃく》や恨《うら》みつらみもありましょうから、どのくらいで成仏《じょうぶつ》するかは人それぞれなのです。

震災などで亡くなっても、あの世を信じていた人、例えば、幸福の科学の教えを信じていた人の場合には、たぶん、じきに成仏するはずです。それは大丈夫《だいじょうぶ》です。

ただ、生きていたときに、宗教《しゅうきょう》とか、あの世とかを、全然、信じていなかった人、そういうものを否定《ひてい》していた人は、震災などで亡くなると、何が起きたのか、なかなか分からないので、すぐには成仏しないと思います。生前《せいぜん》、宗教やあの世を否定していて、突如《とつじょ》、亡くなったような人は、生前の生活に執着しているので、平均《へいきん》して三年程度《ていど》は、だいたい、地表近くで、うろうろしているものです。

彼《かれ》らは、「何が何だか分からない」という状態《じょうたい》なので、導《みちび》きの霊でも、なかなか彼らを導けません。これは、交通事故《じこ》などの場合でもよくあるのですが、いきなり死んだ人は、「どうしたのか。何が起きたのか」ということが分からないわけです。

宗教的なことを知っていた人は、死後、わりに成仏が早いのですが、そういうことが分からない人は、死んだときのままの状態が数年ぐらい続くことが多いのです。

悟《さと》りの遅《おそ》い人は、その状態のままで、ずっと長くいることもあろうかと思いますが、遅い人でも、五十年ぐらいすれば、さすがに、「何だか、おかしい」ということが分かってきます。平均的には、三年前後は地上にとどまっていて、そのあとは、人により、五年、十年、二十年と、いろいろですが、五十年を過《す》ぎたら、だいたい、「もう忘《わす》れていいかな」という感じになります。

東京大空襲《とうきょうだいくうしゅう》等は、もう五十年以上たっているので、そのあたりで亡くなった人については、ほぼ終わっていると考えてよいと思います。

不慮《ふりょ》の死で天上界《てんじょうかい》に還《かえ》った人は生まれ変わりが早い

「人生の途中《とちゅう》で不慮《ふりょ》の死に方をして、悔《くや》しかった」という人は、天上界《てんじょうかい》に還《かえ》った場合には、人生のやり直しとして、早く生まれ変わってくることが多いと言えます。そのように、人生を全《まっと》うできなかった人は、地獄《じごく》で苦しんでいない場合には、わりに生まれ変わりが早いのです。

「児童《じどう》で死んだ」「新婚《しんこん》で死んだ」「事業の半ばで死んだ」『これから』というときに死んだ」など、「中途半端《ちゅうとはんぱ》な死に方をした。残念だった」ということは、いろいろと、たくさんあるでしょう。

そういう、もともとの人生計画ではないような死に方をした人は、天上界に還った場合には、生まれ変わりが、かなり早いのです。「もう一回、やり直しをしたい」という思いが強い人は、だいたい、十年か二十年で生まれ変わってくることが、わりに多いわけです。

そのようなかたちになっているのです。

東京大空襲等で亡くなった人で、まだ地上で漂《ただよ》っている人は、かなり少なく、もう、あまりいないと思います。これだけ近代ビルが立ち並《なら》んでいるのに、まだ、何が起きたのかが分からないとすれば、それは、よほどの頑固者《がんこもの》です。そういう人は、墓地《ぼち》周辺には、まだいるかもしれませんが、だいたいの人は、天上界に上がっているか、地獄にいるか、どちらかです。

そういう人で、天上界に上がっている人の場合には、たぶん、戦後の昭和四十年代のベビーブームあたりで生まれ変わってきていることが、かなり多いのではないかと思います。

阪神大震災で亡くなった人たちを気の毒だと思うなら、震災から二十年ぐらいしたころに、出産を奨励《しょうれい》したほうがよいと思います。「美しい神戸《こうべ》をつくるために、もう一回、人生をやり直したい」という人がいるでしょうから、そういう人は生まれ変わってくると思います。そのような考えもあるでしょう。

地域浄化《ちいきじょうか》のための供養は死後三年目ぐらいまで

前述《ぜんじゅつ》したように、地域浄化《ちいきじょうか》のためのやり方としては、千人の僧侶《そうりょ》で行う千僧供《せんぞうく》養《よう》というものがあります。千人というのは象徴《しょうちょう》であり、五百人でも三百人でも百人でもよいのですが、ある程度の人数で、まとまって供養をすれば、霊域《れいいき》の浄化は可能《かのう》です。

ただ、不本意《ふほんい》な死に方をした人は、どうしても、一定の期間がないと、なかなか天上界に上がりません。本人の納得《なっとく》、了解《りょうかい》が得《え》られない場合は、あの世から導きの霊が助けに来ても、そう簡単《かんたん》に上がらないのです。彼らは、この世に執着《しゅうちゃく》しているので、一定の諦《あきら》めがつくまで、時間のかかることが多いのです。

それから、震災などで死んだ人のなかには、死んだときのままで時が止まってしまう人がたくさんいますが、そういう人は、街《まち》が復興《ふっこう》していく姿《すがた》を見ていて、だんだん悟ってくることもあります。しだいに街が復興してきて、普通《ふつう》の状態に戻《もど》ってきたら、だんだん悟ってきます。多少、時間がかかるのです。

したがって、彼らを供養してあげるとしたら、死後三年目ぐらいまでが中心であり、そのあとは、しだいに地上をユートピア化していったほうが早いのではないかという感じがします。そういうやり方があるのです。

6 あの世を信じていない人への伝道の意義《いぎ》

【質問】

あの世を信じていない人に対して仏法真理《ぶっぽうしんり》の話をした場合、それだけでも、その人が亡《な》くなったとき、あの世での気づきは早いのでしょうか。そういう人への伝道の意義《いぎ》について教えてください。

☆　☆　☆

あの世の知識《ちしき》があると、死後、気づくのが早い

亡《な》くなった人を導《みちび》くときには、その人があの世を信じている場合がいちばんよ

いのですが、信じていなくても、それについて知識《ちしき》を持っているだけでもよいのです。何も知らない場合が、いちばん手強《てごわ》く、難《むずか》しいのです。

例えば、「自分は信じていなかったけれども、妻《つま》が熱心に信じていた」「自分は信じていなかったけれども、子供《こども》が熱心に信じていた」「自分としては信じていなかったけれども、おじいさんやおばあさんが、よく、そんな話をしていた」などということで、知識として知っているだけでも、死んでから、「もしかしたら、本当だったのかな」と気がつくのが早いのです。

信じるというか、信仰《しんこう》のレベルまで入っている場合がいちばんよいのですが、そこまで行かなくても、たとえ薄《うす》い知識であろうと、多少なりとも、あの世についての知識がある場合には、導くのは極《きわ》めて楽です。

知識がまったくない場合ほど、苦労するものはないのです。

この世で説得《せっとく》しようとして、うまくいかない相手は、あの世へ行っても、まったく同じです。頑固者《がんこもの》は頑固者なのです。

こちらが、いくら言っても、彼《かれ》らは、自分の死んだことが、なかなか分かりません。「あなたは死んでいる」と言っても、分からないのです。

それを分からせるために、「あなたは、最近、ご飯《はん》を食べたことがあるか」と訊《き》くと、「そういえば、何年も食べていない」という答えです。

「なぜ、そんなことが分からないのか」と、みなさんは思うでしょう。

ご飯を、一日、食べなければ、苦しくてたまらないはずです。一週間、食べなければ、「死んでしまう」と思うはずです。ところが、彼らは何年も食べていないのです。彼らも、何年もたったことは感じているのですが、「自分は生きているから、それが分からないのです。「ご飯を食べていないだろう」と言われて初めて、「そういえば、おかしいな」と思うわけです。

このレベルが、けっこう平均《へいきん》レベルに近いのです。彼らと話をすると、これが平均レベルなので、こちらは参《まい》ってしまいます。

あるいは、「あなたは、もう幽霊《ゆうれい》になっているのだ」と言っても、「そんなバカなことがあるか。私は、生きてピンピンしている。あなたと話をしているではないか」と言い張《は》るので、「嘘《うそ》だと思うなら、自分の胸《むね》に手を入れてみなさい」と言って、手を入れさせると、自分の手が胸を通り抜《ぬ》けてしまうので、彼らはびっくりするわけです。

それで、「生きている人間で、手が胸を通る人がいるか」と訊くと、「それは、ありえない話だ」と答えます。「では、あなたは、なぜ手が胸を通るのか」と訊くと、しばらく考えて、「やはり幽霊になったのかな」と言います。

このレベルです。彼らは、あの世で生活していながら、自分があの世の人間であることが分からないのです。これが、わりに普通《ふつう》のレベルではないかと思います。

まずは知識を入れ、さらに信仰《しんこう》を持つ

キリスト教圏《けん》など、宗教《しゅうきょう》がもっと広がっている所の人であれば、もう少し理解《りかい》が早いのかもしれません。しかし、日本人の場合は、わりに、緩《ゆる》いというか、考え方の甘《あま》い人が多いのです。また、生前《せいぜん》、お金の面で満足していた人は、死後、なかなか理解ができないので、経済繁栄《けいざいはんえい》のツケはあると言えます。

ただ、このへんの基本《きほん》的なレベルでも、まだましなのです。

「一週間以上、食べずに生きていられる場合には、あなたは死んでいる」とか、「壁《かべ》を通り抜けられたり、突如《とつじょ》、空を飛べたりする場合には、『おかしい』と思ってくれ。生きているとは思えない」とか、バカみたいな話ですが、こちらが、そういう話をしないと、本当に彼らは分かりません。地縛霊《じばくれい》や浮遊霊《ふゆうれい》など、地上を漂《ただよ》っている霊の場合は、そのレベルの話からしていかないと、全然駄目《だめ》です。

「ここに、あなたの家があった。あなたの家は、ご覧《らん》のとおり、丸焼けで、柱が一本、残っているだけだ。このなかに、あなたはいたのだ。家がこのようになって、はたして、あなたは生きていられただろうか。屋根瓦《やねがわら》もなければ、壁もないし、こんなに家が燃《も》えて、肉体が焼けずにもつだろうか。ステーキだって、焼きすぎれば真っ黒になるだろう。これだけ焼いたら、ステーキは炭の塊《かたまり》になるだろう。それだったら、あなたも、そうなっているはずだ。その辺にある炭の塊のどれかが、あなただ」

「では、この私は何なのか」

「それは、肉体ではないあなたなのだ」

分からない人は、だいたい、このレベルなのです。病死の人でも事故《じこ》死の人でも、みな同様なので、どうしようもありません。

基本的には、まずは、うっすらでもよいので、知識を入れるところから始めなければいけません。うっすらと知識を入れ、さらに、ある程度《ていど》、深い知識を持ち、信仰《しんこう》にまで至《いた》っていただければ、亡くなってからあとが早いわけです。

したがって、幸福の科学の会員は、天変地異等《てんぺんちいとう》で亡くなったとしても、あとが早いのです。たぶん、一日ぐらいで、だいたい上がっていきます。迎《むか》えに来た霊に「ご苦労さま」などと言いながら上がっていくと私は信じています。

ただ、信仰が浅かった場合には、「まだ生きたかった」と思って悶《もだ》えているかもしれないので、ちょっと分かりませんが、悟《さと》りが十分であった場合には、わりに早く上がっていくはずです。

当会の会員は、自分がどちらであるか、自問自答してみてください。

7　脳死《のうし》についての考え方

【質問】

私は、自分が脳死状態《のうしじょうたい》になったら、肝臓《かんぞう》などの臓器《ぞうき》を、移植《いしょく》の必要な人に提供《ていきょう》したいと考えています。医学的には、「脳死は人の死である」ということになっていますが、仏法真理《ぶっぽうしんり》の面からは、どのように考えればよいのでしょうか。

☆　☆　☆

「霊子線《れいしせん》」の切れたときが死である

現代《げんだい》の医学では、脳死《のうし》ということで、「人間は、脳波《のうは》が止まったときに死ぬ」と言われています（脳の全体的な、回復不可能《かいふくふかのう》な機能《きのう》停止）。

肉体的には確《たし》かにそうかもしれませんが、実際《じっさい》には、人間は、肉体のなかに魂《たましい》が宿っているかたちになっていて、魂が肉体から抜《ぬ》ける段階《だんかい》が、本当の死なのです。魂が抜けないと、死とは言えません。魂が肉体のなかに入っているうちは、まだ、ちょうど、眠《ねむ》っている状態《じょうたい》に近く、魂が肉体から抜けて初めて、本当の意味の死になるのです。

魂が抜けるのに、通常《つうじょう》、一日はかかります。

人が死ぬと、通夜《つや》というものをしますが、通夜をする理由は、魂が抜けるまでの時間を稼《かせ》ぐことにあります。死んで、すぐに火葬場《かそうば》へ持っていき、焼いてしまうと、本人は、自分の死んだことが分からず、「自分はまだ生きている」と思っているため、大変なことになります。そのように、すぐ焼いてしまうと困《こま》るので、一晩《ひとばん》、通夜をするのです。

そして、人々が、黒い服を着て集まり、涙《なみだ》を流したりしているのを見、自分の写真が飾《かざ》ってあるのを見て、本人は、「もしかして、自分は死んだのかな」と思い始めます。

そのような意識《いしき》が出てくると、魂が、だんだん肉体から分かれてきます。魂が肉体から遊離《ゆうり》したときが死です。

肉体と魂とのあいだには「霊子線《れいしせん》」というものがあり、この霊子線の切れたときが、本当の意味での死です。これが完全に切れていない場合は、まだ死んでいないのです。

霊子線が切れていないと、肉体の意識が魂に伝わります。これが切れると、肉体に何をされても、魂のほうは、まったく感じなくなるのですが、これが切れていないときに、肉体をいじられると、魂のほうは、それを感じます。死んだように見えていても、それを感じるのです。

したがって、脳の機能が止まったときに、肝臓《かんぞう》や腎臓《じんぞう》などを取られた場合、どうなるかというと、それは、「生きている人が、おなかにナイフを突《つ》っ込《こ》まれ、内臓《ないぞう》を切り取られる」ということと同じになるのです。

あなたは、それに耐《た》えられるでしょうか。「構わない」と言うならば、それでもよいし、「嫌《いや》だ」と言えば、それまでです。どちらでもよいのですが、結論《けつろん》を言うと、「痛《いた》い」ということです。痛みを感じるのです。霊子線が切れていない以上、魂は肉体の痛みを感じるわけです。

脳の機能が止まった段階で、医者が、安心して、あなたの臓器《ぞうき》を取ったら、あなたは、ものすごく痛いのです。痛くて、しばらく驚愕《きょうがく》します。それは事実です。

ただ、「自分は死にゆく者だ」という自覚ができて、「その痛みに耐えて、ほかの人のためになるなら、それでよい」と思うのであれば、それも結構《けっこう》かと思います。

内臓の取り出しは、本当は、死後一日たってから、やってほしいのですが、それだと、内臓が古くなってしまい、移植《いしょく》を受けた人が助かりません。古い内臓では、移植を受けた人が、すぐ死んでしまうので、内臓は、新しくて取りたてのものが欲《ほ》しいのです。実際は、そういうことです。

その場合、取られるほうは痛いので、それだけは覚悟《かくご》してください。

内臓《ないぞう》には意識《いしき》がある

また、内臓《ないぞう》には意識《いしき》があることも事実です。人間には、脳を中心とした、トータルな意識が一つありますが、このなかに内臓意識というものがあって、要するに複合体《ふくごうたい》になっているのです。

人間の魂というものは、一様《いちよう》のものではありません。胎児《たいじ》として胎内《たいない》に宿り、体ができていくときに、心臓《しんぞう》など、いろいろな内臓器官《きかん》ができますが、魂のなかには、その器官となる部分の核《かく》の部分があります。この部分が、その器官の核になって、それの命令、指示《しじ》どおりに器官が発達してきます。心臓や腸、胃などは、その魂の核の部分からの司令どおりに、だんだん、そういう形になってくるわけです。

このように、魂的には多重構造《こうぞう》になっています。一人《ひとり》の人間であるけれども、複合体になっているのです。

そして、死ぬときには、それらの内臓意識も引き上げていきます。トータルな意識と一緒《いっしょ》になって抜けていくかたちになります。

そのため、死んだときに、すぐ心臓などの内臓を抜かれたりすると、魂は、肉体から離《はな》れることはできても、かなり痛みを感じながら抜けるわけです。

そのときに、実際に生死というものをはっきりと知り、人間が霊的存在《れいてきそんざい》だということを明確《めいかく》に知っていて、その痛みを克服《こくふく》する人であれば、やがて、その痛みは治《おさ》まっていくでしょう。そして、消えていくと思います。

ただ、唯物《ゆいぶつ》的な考え方を持っている人、「死ねば、全部、終わりだ」と思って内臓を提供《ていきょう》した人の場合は、そのあとが大変です。実際上は七転八倒《しちてんばっとう》しています。「内臓を抜かれた」ということで、「痛い、痛い」と言って苦しんでいます。本当は、もう心臓など要《い》らないのですが、「心臓がなくなった」と言って大騒《おおさわ》ぎをしています。本当は血があるはずはないのですが、「血が出る」と言っています。本人の目には、血が出るように見えるのです。

魂は、肉体から抜けていったあと、しばらくのあいだは、肉体とまったく同じ形をしています。爪《つめ》の半月形の部分まで同じです。爪を切るのを忘《わす》れて、爪が伸《の》びていたら、その長さまで同じです。髪《かみ》の毛《け》に白髪《しらが》があれば、その白髪まであります。まつげもあります。内臓もあり、胸《むね》を押《お》さえてみると、心臓の鼓動《こどう》も聞こえます。霊になっても、やはり、そういうものがあるのです。

やがて、霊界《れいかい》での生活が長くなってくると、そういう人間的な部分が、しだいに忘れられていき、霊的存在として純化《じゅんか》していくのですが、死後二、三年の人間は、内臓器官があるような気持ちでいるのです。

脳の機能《きのう》が止まった段階《だんかい》で臓器《ぞうき》を取られたら痛《いた》い

以上の説明で、だいたい、お分かりかと思います。

もちろん、臓器《ぞうき》を提供すること自体は愛の行為《こうい》だと思いますが、そのような苦しみを伴《ともな》うということは知っておいてください。

それから、移植しても、うまくいかない場合がよくあるのは、意識にずれがあるからです。例えば、あなたの腎臓や肝臓を、あなた以外の人のところへ入れても、そのままでは、うまくいきません。意識が違《ちが》うからです。要するに、「他人のものが入ってきた」ということで、移植を受けた人が拒絶反応《きょぜつはんのう》を起こすのです。他人の魂が体のなかに入り込んでくるので、それを拒《こば》むわけです。

これをなくすためには、移植を受けた人のほうは、感謝《かんしゃ》の心、「ありがたい」という気持ちを持つことが、ぜひとも必要です。

また、臓器を提供した人に対しても、本当に成仏《じょうぶつ》してくれるように、一生懸命《いっしょうけんめい》、お祈《いの》りをしておく必要があります。もし、その人が苦しんでいて、「痛い、痛い」と言っていたら、臓器のほうにも影響《えいきょう》が出てくるので、それが調和することはないと思います。必ず不調和を起こします。

医者は、臓器移植をする場合には、そういう霊的事実を全部知った上で、やっていただきたいのです。

したがって、医者は、まず、死んでいく人に対して、「あなたが亡《な》くなったら、あなたの臓器を他の人に移植するけれども、そのときに、あなたがどうなるかということは、よく知っておいて、了解《りょうかい》しておいてください」と言い、移植を受ける人に対しては、「これは一つの臓器だけれども、その意識は、あなたとは別なのだから、これと調和するように、一生懸命、感謝をしなさい」と言うことです。そういうことをしなければ駄目《だめ》です。

あとは、臓器の提供をする人が、「脳の機能《きのう》が止まった段階で臓器を取られたら痛い」ということさえ覚悟しておいていただければ結構《けっこう》です。

これを読んで、ゾッとしたかもしれません。しかし、事実なので述《の》べておきます。そのときになって、「ちょっと待ってくれ」と言っても、誰《だれ》にも聞こえず、待ってもらえません。臓器を切り取られてしまうと、きついのです。それだけは言っておきます。

同じことは、火葬場《かそうば》で遺体《いたい》を焼く場合についても言えます。「忙《いそが》しいから」「アパートが狭《せま》くて、置《お》いておけない」などという理由で、死んですぐに遺体を焼いてしまうと、死んだ人は、あとが大変で、そう簡単《かんたん》に成仏しません。

やはり、なるべく一日は置いてください。そして、そのあいだ、死んだ人に対して、一生懸命、説得《せっとく》しておくことです。「まっすぐに、あの世へ行ってください。この世に帰ってきて、誰かに憑依《ひょうい》したりは絶対《ぜったい》にしないでください」と言っておくことです。大事なことです。

第3章

脳死《のうし》と臓器移植《ぞうきいしょく》の問題点

1　真実を知る宗教家《しゅうきょうか》として、正論《せいろん》を述《の》べる

一九九七年に、国会で、「脳死《のうし》は人の死であるか」「脳死状態《じょうたい》における臓器《ぞうき》移植《いしょく》は可能《かのう》か」というテーマで議論《ぎろん》がなされ、これについてはマスコミでもかなり取り上げられました。

しかし、主《しゅ》として、移植を推進《すいしん》する側《がわ》である医者の意見が強く反映《はんえい》されていて、宗教界《しゅうきょうかい》からは意見があまり強く出されなかったと思います。

これは、極《きわ》めて現代的《げんだい》なテーマでもあるため、古い時代に根拠《こんきょ》を持っている宗教にとっては、難《むずか》しい問題だったことは否《いな》めないでしょう。

また、「現代の日本人は、あの世や魂《たましい》の存在《そんざい》について、『信じない』という人

が多数である。あるいは、潜在意識《せんざいいしき》では、ある程度《ていど》は信じているのに、少なくとも、表面意識上、明確《めいかく》なかたちでは、『信じている』と言えない状態であることが多い」ということも、その原因《げんいん》のように思われます。

さて、私も、一人《ひとり》の宗教家として、意見を述《の》べなくてはなりません。これは、真実を知る宗教家としての意見であり、「国民の多数が、どのように考えているか」ということには左右されずに、正論《せいろん》を述べるつもりです。

2　本当の死とは何か

「唯脳論《ゆいのうろん》」は新しい唯物論《ゆいぶつろん》

この脳死《のうし》と臓器移植《ぞうきいしょく》の問題に関しては、よく、「脳死は医学的に死である」という言い方がされますが、「医学的死と宗教的死《しゅうきょう》とは違《ちが》うのか」ということも問題になると思います。

「二種類の死があるのか。それとも、結論《けつろん》は一つしかないのか。あるいは、一方の考え方は真実の一側面《いちそくめん》しか捉《とら》えていないのか」、こういうことに関して述《の》べてみたいと思います。

まず、思想的な面から話を始めましょう。

いわゆる西側陣営《にしがわじんえい》が共産主義圏《けん》との冷戦《れいせん》に勝ったため、一九九〇年代以降《いこう》、マルキシズムに基《もと》づく唯物論《ゆいぶつろん》は、思想的には、かなり衰退《すいたい》したように見えます。しかし、「戦後日本を幅広《はばひろ》く覆《おお》った唯物論は、今、別なかたちで頭をもたげてきているのではないか」と私は考えています。

それが「唯脳論《ゆいのうろん》」です。要するに、「人間の本質《ほんしつ》は脳にある。脳こそが人間の本質であり、脳が機能《きのう》しなくなれば、人間は死体も同然である」という考え方です。これは、古くからある「人間機械論」の焼き直しと言ってもよいと思います。

こういう医学的唯物論、医学マルキシズムとも言うべきものは、マルクス的唯物論に代わる、新しい唯物論だと思います。

臓器移植法案《ほうあん》を巡《めぐ》る議論《ぎろん》においても、その背景《はいけい》には、「唯物論」対「あの世を信じる宗教観」という戦いがあったと言わざるをえないのです。

魂《たましい》こそが人間の本体である

医学的には、「脳死は人の死である。脳の機能が完全に停止すると、その人は死体と同じである」と言われていますが、はたして、それが真実なのかどうかについて、検討《けんとう》してみましょう。

私は、過去《かこ》十数年間、宗教家として活動してきました。また、霊的《れいてき》な意識《いしき》が開《ひら》け、地上を去った世界の霊人《れいじん》たちと話ができるようになってから、すでに二十年以上にもなります（発刊時点）。

その間《かん》、霊言集《れいげんしゅう》というものを数多く出してきました。歴史上、有名な人物たちの、霊になってからの考え方や思想を活字にし、書物《しょもつ》にして、数多く世に問うてきました。

その数多い実体験から言えることは、「人間は脳で考えているのではない」ということです。「死んで火葬場《かそうば》で焼かれた人が、そのあとも、生前とそっくりの癖《くせ》や考え方を持ち、個性《こせい》ある思想を展開《てんかい》できる」ということ、「人間は、死後も、そういう能力《のうりょく》を持っている」ということは、厳然《げんぜん》たる事実なのです。私はそれを真実として知っています。

人間は、脳で考えているのではありません。脳というものは、コンピュータ的機能、管理機能を持っているところであり、いわば管理室なのです。

そのため、脳という〝機械〟が故障《こしょう》した人は、考えや思想を、外部に発表したり、身体《しんたい》で表現したりすることができなくなることがあります。しかし、それは機能における障害《しょうがい》であって、実際《じっさい》は、考える力や意志《いし》をまったく失ったわけではないのです。

これが、脳死の問題において最も根幹《こんかん》をなす議論ではないかと思います。すなわち、「人間は、魂《たましい》、霊体《れいたい》の側に、考える中枢《ちゅうすう》を持っている。それは肉体の生死とはかかわりなく存在《そんざい》するものである。この魂こそが人間の本体であり、肉体は〝乗り物〟にすぎない」ということです。

ちょうど、肉体は自動車で、魂はその運転手のようなものなのです。自動車が故障しても、それは、「運転手が死亡《しぼう》した」ということにはつながりません。自動車は、故障すると進まなくなり、外見《がいけん》からは、運転手が機能を停止したようにも見えますが、それは運転手の生存《せいぞん》とは別です。魂と肉体の関係は、これとよく似《に》ているると言えるのです。

脳死状態《のうしじょうたい》では魂はまだ生きようとしている

それでは、「脳の機能が完全に停止した」と医者が言っている脳死状態《のうしじょうたい》において、肉体と魂の関係は、どうなっているのでしょうか。

結論《けつろん》を述べると、「脳死状態においては、魂はまだ肉体と完全に密着《みっちゃく》した状態にある」ということです。「まだ心臓《しんぞう》が動いており、血流《けつりゅう》があって、体が温《あたた》かい状態においては、魂は、まだ肉体から離《はな》れておらず、生きようとして努力している」というのが真相なのです。

脳死状態になる人のなかには、交通事故《じこ》などによって脳に障害を受けた人も多いだろうと思いますが、そういう人は、突然《とつぜん》、事故に遭《あ》ったため、「自分が、今、どのような状況《じょうきょう》に置《お》かれているのか」ということを、十分に理解《りかい》していないことが多いのです。そのため、医者に脳死を宣言《せんげん》され、「死体になった」と言われても、大多数の人たちは、自分が死んでいるということを納得《なっとく》してはいません。

また、脳に反応《はんのう》がない場合、その人には考える力がまったくなく、周《まわ》りの人の言葉も聞こえないのかといえば、そうではありません。霊体というものは、耳の機能を通さなくても、周りの人たちの考えを読み取ることができます。口に出して語っていることだけではなく、心のなかで考えていることをも読み取ることができるのです。

したがって、病気の末期《まっき》にある人でも、周りの人たちの言っていることや考えていることが、手に取るように分かります。そして、「自分は、今、何をされているか」ということを明確《めいかく》に知っているのです。

臓器《ぞうき》移植《いしょく》に伴《ともな》う憑依現象《ひょういげんしょう》

問題なのは、死後の世界や魂の存在を認《みと》めていない人が、まさに肉体的な死に至《いた》らんとするときになって、「自分は自己《じこ》を認識《にんしき》できる。自分は考えることができる」ということを根拠《こんきょ》に、「自分はまだ生きている」と思ってしまうことです。

死後の世界や魂の存在を認め、「霊体と肉体とは違う」ということを明確に認識している人には、「今、自分の肉体は死につつあるが、霊体は生きている」ということが分かります。しかし、霊体と肉体との区別がつかない人は、肉体ではなく霊体が考えているのに、「自分はまだ生きている」と信じ込《こ》んでしまうのです。

ここが重大なポイントです。これは、戦後の唯物論教育と重ね合わせて考えなくてはならないことだと思います。

彼《かれ》らには、ベッドの近くにいる肉親たちが自分に呼《よ》びかけている声も聞こえています。また、自分では、返事をしているつもりでいるのです。しかし、口は動かず、「自分の返事が肉親には聞こえないらしい」ということが、非常《ひじょう》にもどかして、困《こま》っているのです。

この段階《だんかい》において、医者がメスを振《ふ》るい、心臓や肝臓《かんぞう》などの臓器《ぞうき》を取り出して、移植《いしょく》を待つ患者《かんじゃ》に移植すると、どのようなことが起きるでしょうか。

まずは、死に直面している人は非常な驚愕《きょうがく》を覚えます。これが一つです。

そして、もう一つ言っておかねばならないのは、「魂の機能において、脳も重要な中枢の一つではあるが、心臓もまた非常に重要な中枢である」ということです。ここに、心というものの正体が潜《ひそ》んでいます。

臓器は単なる物質《ぶっしつ》ではありません。それは意識を伴《ともな》っているものです。臓器にも霊的意識があるのです。

人間の魂は、アメーバのようなゼリー状《じょう》のものが一様《いちよう》に存在しているのではなく、複合体《ふくごうたい》として、二重、三重にできています。魂という、全体的に統一《とういつ》された霊体のなかには、別途《べっと》、心臓の意識や肝臓の意識など、臓器の意識もあり、魂は複合体として存在しているのです。

心臓は、主《しゅ》として人間の意志《いし》や感情を司《つかさど》る霊的な中枢です。この心臓の部分を、本人が十分に納得していない段階で取り去り、他の人に移植すると、霊体の一部も他の人に移植されることになります。

そのように、本人が自分の死を承認《しょうにん》していない段階において、心臓を他の人の体に移植すると、ここで、霊的には、いわゆる憑依現象《ひょういげんしょう》というものが起きます。その人の魂は、自分の心臓に吸《す》い寄《よ》せられるようにして、新しい肉体に移動《いどう》してしまい、憑依現象が起こるのです。

これは、移植を受けた人の魂と、その人に憑依した魂とが、共存《きょうぞん》状態に入ることを意味しています。その結果、拒絶《きょぜつ》反応などが起きるのです。過去、臓器移植に伴って拒絶反応が起きた例は数多く報告《ほうこく》されています。

さらには、そのようにして、あの世への旅立ちを妨《さまた》げられた霊たちは、たいていの場合、不平不満や、この世への執着《しゅうちゃく》などから、不成仏霊《ふじょうぶつれい》といわれる存在になっています。

彼らは、さまざまな障《さわ》りを起こす力、悪い出来事《できごと》を起こす力を持っているので、臓器を移植された人の家庭のなかで、次々と不幸が起きることになります。これは、古代から「祟《たた》り」といわれている問題です。いわゆる「祟り霊」が生《しょう》じるということです。

これが霊的な側面から見た実態《じったい》です。

臓器の提供者《ていきょうしゃ》は、あの世でどうなるか

次に、「臓器の提供者《ていきょうしゃ》は、あの世でどうなるか」ということについて、述べたいと思います。

人間は、死後、肉体を離れて、あの世に旅立ちます。その際《さい》、とりあえずは、

「幽界《ゆうかい》」「精霊界《せいれいかい》」といわれる四次元世界に行き、そこで生前《せいぜん》の延長《えんちょう》のような霊的生活をします。さらに、その一段上《いちだんうえ》には、「善人界《ぜんにんかい》」といわれる五次元世界、いわゆる天国があります。

この四次元や五次元の世界に生存している霊たちは、この世における機能をそっくりそのまま持っていると言えます。

例えば、彼らが自分自身を見ると、指には爪《つめ》が生《は》えていますし、その爪には半月形の模様《もよう》まではっきりと出ています。また、胸《むね》に手を当ててみると、心臓の鼓《こ》動《どう》をはっきりと感じることができます。生前の意識をそっくり持ったまま、あの世に来ているということです。

したがって、死の直前に心臓をくりぬかれた人が、死後、どうなるかというと、心臓の部分が空洞《くうどう》になったかたちで、あの世に来ている状況になります。これは、意識としても非常に情緒《じょうちょ》不安定な状況にあるということです。

彼らは、あの世での最初の生活に戸惑《とまど》いを覚え、非常に困っています。なかには取り乱《みだ》している霊もいます。

あの世での生活が長くなると、しだいに、霊体としての生活にもなじみ、地上界のことを忘《わす》れ、肉体意識から遠ざかって、霊の意識へと変化していきます。そして、上級霊になればなるほど、肉体的意識から離れた「思い」だけの世界に入っていきます。しかし、通常《つうじょう》の人間の場合は、死後、数年ぐらいは、肉体意識とほぼ共存するようなかたちで霊界《れいかい》の生活をしているのです。

その意味において、脳死状態における臓器移植は、前述《ぜんじゅつ》したように、臓器の提供を受けた人の霊障《れいしょう》を促進《そくしん》することになりますし、そうならなかった場合でも、臓器提供者に、死出《しで》の旅立ちにおいて、たいへん大きなハンディを与《あた》えることになると言わざるをえないのです。

「霊肉二元《れいにくにげん》」ではなく「色心不二《しきしんふに》」が正しい

みなさんのなかには、「欧米《おうべい》、いわゆるキリスト教圏においては、すでに何十年も前から臓器移植が進められているではないか。どうして、日本でだけは、それが問題になるのか」と考える人もいるだろうと思います。

これには、現在《げんざい》のキリスト教における「霊肉二元論《れいにくにげんろん》」の問題があります。キリスト教圏においては、「霊と肉とは、まったく別のものである」と考えているのです。

すなわち、欧米では、「肉体は肉体、霊体は霊体であって、両者は別のものである。霊体は神が命《いのち》の息を吹《ふ》き込んだものであり、肉体は神が塵《ちり》や土をこねてつくったものである。肉体は物質からつくられているが、霊体は神が息を吹き込んだものであり、それが魂になっているのだ」と考えています。肉体と霊体とをまったく区別して考えているのです。これにはデカルト的な二元論も強く影響《えいきょう》しています。

そのように、キリスト教圏においては、「臓器を含《ふく》め、肉体は塵からできた物質であるが、魂はそれとは別であり、霊体と肉体はまったく関係がない」と考えているため、霊体を認めてはいても、「肉体は切っても構わない」というような理解をしているのです。

しかし、これは霊的知識《ちしき》の不足と言わざるをえません。実際には、霊体と肉体は、まったく別の二元的なものではなく、かなりオーバーラップしたところがあるのです。

仏教《ぶっきょう》には「色心不二《しきしんふに》」という言葉があります。「色《しき》（肉体）と心《しん》（心《こころ》）は不二《ふに》である。肉体と心は二つに分けることができず、両者は相互《そうご》に影響を及《およ》ぼし合っている」ということですが、現実《げんじつ》問題として、それが事実なのです。

肉体における変化は霊体にも伝わりますし、逆《ぎゃく》に、霊体における変化は肉体にも伝わります。肉体が病《や》めば、霊体にも非常に大きな苦痛《くつう》が生じることがありますし、霊体が驚愕《きょうがく》したり、病んだりすると、肉体に異常《いじょう》な変化が表れることもあります。

結局、「キリスト教においては、未熟《みじゅく》な理論《りろん》が通用している」と言わざるをえないのです。

死とは肉体から魂が離脱《りだつ》すること

一方には、「もうすぐ死ぬ」という人がいて、もう一方には、「臓器の移植を受ければ、まだ何年かは生きられるかもしれない」という人がいるとき、「もうすぐ死ぬ人、数日以内に確実《かくじつ》に死ぬ人の臓器を取って、それを、まだ何年かは生きられるかもしれない人に提供するのは、比較衡量《ひかくこうりょう》からいっても、価値《かち》があるのではないか。長く生きられる人を優先《ゆうせん》するべきではないか」という考え方もあろうかと思います。

もちろん、そうした考え方は十分にありうることですし、しかも、それが愛の思いから出たものならば、一定の犠牲《ぎせい》的行為《こうい》として、評価《ひょうか》できる面もないとは言えません。

しかし、すでに述べたように、脳死の状態においては、肉体と魂とは、まだ分離《ぶんり》していません。

人間における死とは、「肉体からの魂の離脱《りだつ》」以外にはなく、これは、医学的死と宗教的死とに分けられるようなものではありません。肉体から魂が離脱することが死なのです。

なかには、死後わずかの時間で肉体から離脱する人もいますが、たいていの人は、自分の肉体に執着《しゅうちゃく》しているため、なかなか、肉体から離れようとしません。

死後二、三時間であれば、まだ肉体を出たり入ったりして、肉体に取りついている状態が普通《ふつう》です。

「遺族《いぞく》が集まり、通夜《つや》や葬式《そうしき》をして、本人に、『あなたは死んだのだ』ということを自覚させ、肉体から魂を離脱させる」という儀式《ぎしき》が、古くから続いていることでも分かるように、「通常は、死後数時間から丸一日、魂は肉体の周辺に漂《ただよ》っている」と言ってよいのです。

「シルバー・コード」（霊子線《れいしせん》）といって、魂と肉体をつなぐ、銀線のようなものがあります。これの切れたときが、正式な意味における死です。これがつながっているかぎり、魂の意識と肉体の意識とは完全には切れておらず、本当の意味においては死を迎《むか》えていません。そのため、蘇生《そせい》する可能性《かのうせい》があります。しかし、シルバー・コードが切れた段階で、再《ふた》び生き返ることはできなくなります。

「肉体機能としての死については、医者ではない素人《しろうと》にも認定《にんてい》できる心臓停止の段階が、医学的に死と認定されることが妥当《だとう》ではないか」と私は考えていますが、「本当の意味における死は、心臓停止のしばらくあとにやってくる」ということも述べておきたいと思います。

肉体における死の段階では、魂がまだ肉体から離脱しておらず、「あの世から、先に亡《な》くなった父母や祖父母《そふぼ》、あるいは天使たちが迎えに来て、本人を説得《せっとく》する」という状況が、しばらく続いています。そのために、通夜や葬式という儀式があるのだということです。

そのようなことを総合《そうごう》的に勘案《かんあん》すると、「『臓器をもらえば、まだ生きることができる』という思いは、よく分かるけれども、まだ死んでいない人の臓器を取ってまで生き延《の》びようとするのは、やはり、生への執着ではないのか。それは、一種の欲望《よくぼう》、あるいは、この世的、唯物的な生存への執着ではないのか」と言わざるをえないと思います。

「この世でまだ生きたい」と思う人の執着と、「まだ死にたくない」という、脳死状態の人の執着とが重なるとき、ここで完全に憑依《ひょうい》現象が起き、霊障《れいしょう》の状態が発生するということを知っていただきたいと思います。

現在の日本のように、まだまだ唯物論がはびこっており、「霊もあの世もない。宗教は、みな迷信《めいしん》で、デタラメである」というような論調《ろんちょう》が主流である所においては、愛の行為のようにも見える臓器提供であっても、残念ながら、本当の意味において救《すく》いになっていないことがあるのです。それを知らなくてはなりません。

3　現代《げんだい》の医学は、まだまだ未開《みかい》の状態《じょうたい》にある

人工流産《じんこうりゅうざん》は霊界《れいかい》の混乱《こんらん》を引き起こしている

現代《げんだい》では、医学が宗教《しゅうきょう》に取って代わるようになり、「人の生死を判定《はんてい》するのが医学である。医学は万能《ばんのう》であり、科学の最先端《さいせんたん》であり、ここに最高の知性《ちせい》が集まっている」という、うぬぼれが蔓延《まんえん》しているように、私には見えます。

しかしながら、宗教家としての目から見たとき、現代の医学は、それほど進んだものであるようには思えません。

これまで、死の問題について述《の》べてきましたが、その反対である、人間の誕生《たんじょう》を考えてみても、医学は、魂《たましい》と肉体の関係がまだ理解《りかい》できていません。

「霊的《れいてき》に見ると、妊娠後《にんしんご》、満九週目に入ったとき、母親のおなかのなかに胎児《たいじ》の魂が入る」ということを、私は何度も目撃《もくげき》しました。満九週目になると、確実《かくじつ》に魂が胎内《たいない》に宿ります。その日時《にちじ》も特定できます。それからあとは魂と肉体が共存《きょうぞん》しているのであって、それ以後の胎児に対して人工流産《じんこうりゅうざん》（人工妊娠中絶《ちゅうぜつ》）をすることは、一種の、生命《せいめい》を奪《うば》う行為《こうい》であることは間違《まちが》いありません。

しかし、現代の日本は〝堕胎《だたい》天国〟であり、毎年《まいとし》百万人近くもの胎児が人工流産をされているのではないかとも言われています。これが、あの世からこの世への生まれ変わりを非常《ひじょう》に阻害《そがい》しており、霊界《れいかい》の混乱《こんらん》を引き起こしています。

また、人工流産は、この世での人生計画にも大きなダメージを与《あた》えています。明確《めいかく》な人生計画を持って生まれてこようとしている者が、人工流産をされることによって、結婚《けっこん》を予定していた相手と結《むす》びつくことができなくなったり、予定していた職業《しょくぎょう》での目的を断《た》たれたりすることが、数多く起きています。

このように、今の日本では、胎児に関して、非常に多くの人工死が合法的に行《おこな》われているのです。人間が生まれる段階《だんかい》において、平気で死を与えるのが、日本の医療《いりょう》なのですから、「脳死体《のうしたい》」と称《しょう》し、まだ死んでいない人を死体扱《あつか》いすることが、年に数千件《すうせんけん》ほど出たとしても、人工流産に比《くら》べると、まだ数は少なく、不《ふ》思議《しぎ》なことではないのかもしれません。

心臓移植《しんぞういしょく》は古代の宗教儀式《しゅうきょうぎしき》の復活《ふっかつ》

心臓移植《しんぞういしょく》に熱心な心臓外科医たちの姿《すがた》を見ると、私には、あることが思い浮《う》かびます。それは古代のマヤ文明の姿です。

古代マヤには、「生きている人間の心臓をくりぬいて神に捧《ささ》げる」という儀式《ぎしき》がありました。「数万人、あるいは数十万人もの人が、生きたまま心臓をくりぬかれ、その心臓が生贄《いけにえ》として神に捧げられた」と聞いています。

私には、「現代の心臓外科医の多くは、この古代マヤ文明の時代に、ナイフで人の心臓を何万もくりぬくような職業をしていた人なのではないか。そういう人が生まれ変わってきているのではないか」という考えが浮かんできます。

そして、「心臓移植は、最先端の科学というより、『古代の宗教儀式に返っている』ということなのではないか。医学は、まだまだ未開《みかい》の状態《じょうたい》にあるのではないか。肉体と魂との関係を解《と》き明かせないかぎり、〝五割《わり》医療〟を超《こ》えることは、まだできないのではないか」と思われるのです。

人間は、霊体《れいたい》においても痛《いた》みを感じることができます。「病気の末期《まっき》において点滴《てんてき》を受け続けた人は、死んで霊体になってからも、その腕《うで》に注射針《ちゅうしゃばり》の痛さを感じて苦しんでいる」ということを、多くの医者は知らないでしょう。ましてや、「脳死状態で臓器《ぞうき》を取り除《のぞ》かれると、どれほどの痛みが霊体に宿るか」ということは、想像《そうぞう》もつかないでしょう。

みなさんは、「現代の医学は、まだまだ未開の状態にある」ということを知らなくてはなりません。

唯脳論《ゆいのうろん》が新《あら》たな唯物論《ゆいぶつろん》として二十一世紀を席巻《せっけん》しないことを、私は心より祈《いの》っています。

第4章

先《せん》祖《ぞ》供《く》養《よう》の真実

1　先祖供養《せんぞくよう》の意義《いぎ》

宗教《しゅうきょう》の第一使命《しめい》とは

先祖供養《せんぞくよう》の真実について述《の》べたいと思います。

先祖供養を行《おこな》っている宗教《しゅうきょう》は数多くあり、先祖を供養すること自体は間違《まちが》いではありません。

ただ、本来は、地上に生きているあいだに、法に触《ふ》れて、正しい生き方に目覚め、信仰心《しんこうしん》を持って人生を正していくことが望ましいのです。

宗教団体のあり方としては、生きている人間を救《すく》うことが原則《げんそく》です。この場合、「救う」とは、「肉体生命を救う」という意味ではなく、「魂《たましい》を救う」ということです。生きている人間の魂を救うことが宗教の第一使命《しめい》なのです。

現在《げんざい》、日本全国には約一億三千万、全世界には約六十億の人々が生きています(発刊時点)。

これらの人々に法の味を教える。そして、彼《かれ》らに、法を学び、信仰生活を実践《じっせん》することによって、人生を変えていただく。さらには、そういう人を数多くつくることによって、各地域《かくちいき》、各国《かっこく》にユートピアをつくっていく。

これが第一原則であり、幸福の科学の活動の九十数パーセントは、ここに注力《ちゅうりょく》されるべきであると考えます。

先祖供養――過去《かこ》に生きた人に対する救済《きゅうさい》

あの世に還《かえ》った先祖への供養は、この世において救い切れなかった場合の事後《じご》的な問題です。

子孫《しそん》としては、先祖が生きているあいだに救ってあげるのが最もよいのですが、救い切れずに亡《な》くなってしまう場合があります。あるいは、幸福の科学の出現《しゅつげん》に間に合わずに亡くなってしまった人もいるでしょう。「こういう人たちを救うことは、もはやできないのか」ということが問題になります。

これは、キリスト教においても、いまだに大問題なのです。

キリスト教では、「キリスト教に入信《にゅうしん》しないと、天国には行けない」という言い方をよくしますし、「キリスト教に入らなければ、地獄《じごく》に堕《お》ちる」という極端《きょくたん》な言い方をする人もいます。そうすると、イエスの生誕《せいたん》以前の人類は救われないことになります。「イエス生誕までは無明《むみょう》の歴史が続いていたのであり、イエス以前の人々に対する救済《きゅうさい》はありえない」ということになるのです。

一方、仏教《ぶっきょう》には、先祖供養という考え方があります。これは、「仏教には、過《か》去《こ》に生きた人を救済する理論《りろん》が存在《そんざい》する」ということを意味しています。

もっとも、「千年も二千年も前に死んで、いまだに迷《まよ》っている」という人は少ないので、死んでから数十年ぐらいの範囲《はんい》の人が対象《たいしょう》になるでしょうが、生きているあいだに仏教に出会えなかった人を救う方法として、先祖供養があるということです。

キリスト教と違《ちが》って、「過去にまで救いの手を伸《の》ばそう」という考え方が、仏教にはあるのです（カトリックにも、類似《るいじ》の思想として、「とりなしの祈《いの》り」がある）。

しかし、千年も二千年も地獄にいるような悪魔《あくま》たちは、そう簡単《かんたん》には救済されません。なぜなら、現在ただいまも悪事を重ねているからです。彼らが悪事をやめれば、あとは闇《やみ》が減《へ》って光が増《ふ》えるのみなのですが、彼らは現在ただいまも悪事を重ねているため、消しても消しても、なかなか闇がなくならないのです。

一方、通常《つうじょう》の人の場合は、地上に生きていたときに悪事を重ねたとしても、死後に改心《かいしん》すれば、その時点から、悪い考えや行動がなくなるので、悪事の量は増えません。あとは、徳《とく》を積《つ》めば、その人にとって、少しずつ闇が減って光が増えてきます。そして、光の量が闇の量を超《こ》えたときに、地獄から天上界《てんじょうかい》に上がれるようになっています。

こういう救いのきっかけとして、先祖供養というものがあるのです。

2　先祖供養《せんぞくよう》における注意点

「奪《うば》う愛」へのすり替《か》え

先祖供養《せんぞくよう》においては、気をつけなければいけない点があります。

教団《きょうだん》によっては、先祖供養を重大視《じゅうだいし》するあまり、朝も昼も晩《ばん》も、年中無休《ねんじゅうむきゅう》で先祖供養ばかりを行《おこな》っているところがあります。それが正しいかといえば、霊的《れいてき》な真実を見るかぎり、一定の疑問《ぎもん》があります。

「先祖を供養したい」という子孫《しそん》の念が、愛念《あいねん》として実る場合はよいのですが、そうではない場合があります。それは、子孫の側《がわ》、生きている人間の側が、何とか救《すく》われたくて供養している場合です。

例えば、「学業が不振《ふしん》である」「事業が不振である」「会社で出世《しゅっせ》しない」「恋愛《れんあい》が成功しない」「子供《こども》に問題が起きた」などということがあると、「これは先祖が迷《まよ》っているからではないのか」と考え、自分たちが幸福になりたくて一生懸命《いっしょうけんめい》に先祖供養をしていることが、数多くあります。

ここに、微妙《びみょう》ながら、すり替《か》えの起きる可能性《かのうせい》があります。供養というものは、本来は「与《あた》える愛」であるにもかかわらず、子孫の側が、わが身かわいさ、浮世《うきよ》の生きやすさのために、「先祖が悪さをしないように」という思いで供養していると、そこに「奪《うば》う愛」が生《しょう》じやすいのです。

その結果《けっか》、無反省《むはんせい》な人間が生まれ、供養される側と供養する側が同質《どうしつ》になることがあります。

供養される側が天国に行っている場合であれば、そういう問題は起きませんが、先祖が、あの世で悪霊《あくれい》となり、迷っているような場合は、子孫が欲得《よくとく》の心で先祖供養をすると、両者はほとんど同質なので、完全に通じてしまうのです。

供養される側が天国にいる場合、先祖供養は、「先祖のあの世での修行《しゅぎょう》が、いっそう進んで、先祖が、より高い世界に入ってくれますように」という願《ねが》いであり、「子孫の私たちも、これだけ努力しておりますから、おじいさん、おばあさんも、そちらで、いっそう悟《さと》りを高めて、もっともっと高い境涯《きょうがい》に上《のぼ》ってくださいというエール（声援《せいえん》）でもあると思います。

そして、子孫の勉強が進めば進むほど、「私の子孫は、こんなに頑張《がんば》っていて、世の中のお役にも立っている」ということになり、先祖も、あの世で光を得《え》て、徳《とく》が生じてきます。「おたくの子孫は、なかなか感心ですね」と言われて、あの世で近所の評判《ひょうばん》が上がりますし、そうした子孫を見ているうちに、「自分も、もっと頑張らなければ」という気持ちになって、さらに悟りが進むことになります。

そうした意味での、よい先祖供養はありうるのです。

一方、朝昼晩と先祖供養をしていても、この世的な失敗などを、先祖が迷っているせいにして、苦しみから逃《のが》れたい一心《いっしん》で供養している場合があります。要するに、自己責任《じこせきにん》がゼロで、すべてを先祖のせいにしている場合です。

この場合は、供養しても供養しても、先祖は、「そうか、そんなに幸せになりたいのか。では、もっと供養しろ」と、毎日、子孫の家のなかに居座《いすわ》るのです。

そうなると、その先祖は、あの世での修行をまったくしなくなります。

生前《せいぜん》、間違《まちが》った生き方をした場合には、地獄《じごく》で苦しみを受けることが修行なのです。これは大変ではあるのですが、一定期間、地獄の苦しみを経《へ》ることによって、「自分はここが間違っていたのだな」と悟るわけです。

しかし、地獄から出てきて家のなかに居座っている先祖は、そういう修行をせずに、「もっと供養しろ」「お供《そな》えのご飯が少ない」「こんな安物の花では駄目《だめ》だ」「嫁《よめ》の心掛《こころが》けがよくない」「息子《むすこ》が、供養しないで酒ばかり飲んでいる」など、何だかんだとケチをつけるのです。

なかには、「自分がこんなに苦しんでいるのは、子孫が、ぐうたらで、一生懸命に供養しないからだ。みんな子孫が悪いのだ。だから、子孫を懲《こ》らしめてやらなくてはいかん。子供の一人《ひとり》ぐらい、事故《じこ》にでも遭《あ》わせてやろうか」などと考え、実際《じっさい》に悪さをする先祖もいます。

このへんが先祖供養の非常《ひじょう》に難《むずか》しいところです。毎日毎日、先祖供養をしている教団の信者は、かなりの割合《わりあい》で霊障《れいしょう》になっています。悪霊に全身をすっぽりと覆《おお》われているような人が非常に多いのです。先祖供養の難しさを、つくづく感じさせられます。

心が調和していて光の強い人、守護霊《しゅごれい》の光が降《お》りていて人々を救済《きゅうさい》する力を持っている人が、先祖供養をした場合には、その光は、確《たし》かにあの世の霊人《れいじん》に届《とど》き、彼《かれ》らの苦しみを軽減《けいげん》する力を持っています。

しかし、そうではない人が、「先祖の霊さえ追い払《はら》えば、何とか幸福になれる」と思い、自分が救われたい一心で供養している場合には、先祖と子孫が〝同じ穴《あな》のムジナ〟になり、一緒《いっしょ》に苦しんでいるというケースが多いのです。

供養の原点――自分自身が光を発する

先祖供養に当たっては、どうか原点を間違《まちが》わないでください。

先祖を供養するには、その前提《ぜんてい》として、供養する側に修行が必要です。まず、仏法真理《ぶっぽうしんり》を学習すること、真理の書籍《しょせき》を読み、幸福の科学の各種行事に参加して、学習を深めること、そして、仏《ほとけ》の光の感覚を身につけることが大事です。その結果、その光の一部を廻向《えこう》していくことが可能になるのです。

自分自身が、光を発する灯台《とうだい》とならずして、闇夜《やみよ》の海を照《て》らすことは不可能です。闇夜のなかで、航路《こうろ》が分からなくて迷い、漂《ただよ》っている船があるとき、「その船を救わなければいけない」と、いくら言っても、灯台から光が出ていなければ、どうしようもないでしょう。

自分も手探《てさぐ》り状態《じょうたい》のままで、「何とか救いたい」と一生懸命に言っているよりも、まず、光を灯《とも》すことです。そうでなければ導《みちび》けないのです。

光を灯すために、この世の人間は、仏法真理を勉強して、修行をする必要があります。それをせずに、「ただただ救われたい」という一念《いちねん》で、毎日、先祖供養ばかりするのは考えものです。それよりは、まず、修行をして悟りを高めなければばなりません。

悟りの力によって先祖は供養されるのです。これが原点です。

供養大祭《たいさい》の霊的《れいてき》意味

このように、先祖供養には危険《きけん》な面もあるため、家庭で頻繁《ひんぱん》に先祖供養をすることは、お勧《すす》めできません。

そのため、幸福の科学の総本山《そうほんざん》・正心館《しょうしんかん》等の精舎《しょうじゃ》では、先祖供養大祭《たいさい》や永代《えいたい》供養等《とう》を実施《じっし》しています。また、全国の各支部《かくしぶ》でも、年に二回、供養大祭を行《おこな》っています。

したがって、当会の供養大祭などに参加して、光の強い人たちと一緒《いっしょ》に供養するほうがよいでしょう。導師《どうし》がいるほうが安全ですし、他の参加者たちの光にも護《まも》られるので、そういう場所で供養したほうがよいのです。

また、当会の供養大祭の会場には、当然、参加者の守護《しゅご》・指導霊《しどうれい》や当会の支援《しえん》霊《れい》たちが来ているので、家に取り憑《つ》いて子孫に悪さをしている先祖は、そういう霊に見つけられます。そして、「何だ、おまえは。何年も悪さをしているようだな」などと言われ、先生の前に出された生徒のように恐縮《きょうしゅく》するのです。

彼らは、生きている人間には見えないので、悪いことができたのですが、あの世の霊人《れいじん》には見えるため、「おまえの子孫が、こんなに一生懸命、頑張っているのに、ずっと悪さをしてきただろう」と叱《しか》られ、「ばれたか」と観念《かんねん》して、すっかりおとなしくなるわけです。

要するに、子孫の力だけでは救済できない場合でも、当会の行事に参加することによって、間違ったことをしている先祖を高級霊《こうきゅうれい》が叱ってくれるのです。あの世のことには、あの世の人が最も精通《せいつう》しているので、基本《きほん》的には、霊人の間違いは、あの世の高級霊に任《まか》せるのが近道なのです。

そのように、当会の行事に参加することは、あの世の高級霊とのあいだに新しい縁《えん》ができるきっかけにもなるので、先祖供養は、できるだけ、当会の供養大祭の会場で行《おこな》ったほうがよいのです。

もちろん、家庭でも、年に何回か、命日《めいにち》などに家族全員で供養するのは、悪いことではないと思います。しかし、やりすぎないことです。毎日、朝昼晩と供養したり、毎晩《まいばん》、寝《ね》る前に供養したりするよりも、きちんと自分が修行をすることです。

当会の根本経典《こんぽんきょうてん》である『仏説《ぶっせつ》・正心法語《しょうしんほうご》』を読誦《どくじゅ》したり、仏法真理の書籍を読んだりして、まず、自分自身の悟りを高めることに重点を置《お》き、先祖供養は、できるだけ、導師がいる所で行うほうが、危険が少なく、効果《こうか》も大きいのです。

３　死はあの世への旅立ち

「諸行無常《しょぎょうむじょう》」としての死

会社を退職《たいしょく》したあとの老年層《ろうねんそう》の人たちを見ると、先祖供養《せんぞくよう》の発生原因《げんいん》が分かります。仕事ができなくなり、収入《しゅうにゅう》がなくなると、息子《むすこ》や娘《むすめ》を頼《たよ》りにするようになりますが、そういう晩年《ばんねん》の生活そのものが、先祖供養とつながっていると考えてよいのです。

年を取るにつれて、しだいに淡々《たんたん》とした心境《しんきょう》になっていくのがよいのですが、多くの人は、「肉体が不自由になり、やがて死ぬ」ということに対する恐怖心《きょうふしん》が非常《ひじょう》に強く、あれこれと地上に執着《しゅうちゃく》します。

この執着は、死んだあとに供養を求める心と同じものです。この世に対する執着、すなわち、肉体生命、家族、土地、家、仕事など、いろいろなものに対する執着が、供養を求める心のもとなのです。

死は悲しいものです。しかし、これは、仏教《ぶっきょう》の根本《こんぽん》である「諸行無常《しょぎょうむじょう》」なのです。「生老病死《しょうろうびょうし》」と言われるように、人は、生まれ、老《お》い、病《やまい》にかかり、死ぬのです。これは真理《しんり》であって、変えることはできません。老いを止《と》めることも、死を避《さ》けることも、誰《だれ》にもできないのです。これは宇宙《うちゅう》の真理なのであり、そうである以上、人は、その真理に従《したが》って生き、そして、地上を去っていかなければなりません。

死は、肉体人間にとっては確《たし》かに悲しいことではありますが、霊的《れいてき》な目から見れば、あの世への旅立ちであって、本来の世界に還《かえ》ることです。この世の生活は、外国の学校に留学《りゅうがく》しているようなものであり、留学が終わって本国に還ることが死なのです。

人情として、あるいは文化として、死を悲しむのは分かりますが、悲しみすぎると問題があるのです。

死は永遠《えいえん》の別れではない

死を悲しむのは霊界《れいかい》を知らないからでもあります。

「死んだ人とは、もう会えない」と思うかもしれませんが、私の場合は、「その人が、この世に生きているからこそ会わずに済《す》んでいる」という人でも、死ぬと自由自在《じゆうじざい》にやってくるので、うるさくて大変なのです。

この世では、誰かが私に会いたいと思っても、その人は、飛行機や自動車、電車等の交通機関を使わなければ、会いに来られません。また、私が「忙《いそが》しいから」と言えば、私は、その人と会わなくて済みます。

ところが、死んだ人の場合は、いつでも自由に来られるので、知人が死んだという話を聞くと、私は、率直《そっちょく》な感想として、「これは大変なことになった」と思うのです。

死んでまもない人のことを一生懸命《いっしょうけんめい》に思っていると、霊となったその人は、こちらの仕事に関係なく、毎日でもやってきます。

あの世の人は、死んだあと、しばらくは仕事がありません。あの世に還ると、すぐに仕事を持つ人は、よほど修行《しゅぎょう》が進んでいる、使命《しめい》のある人です。普通《ふつう》の人の場合は、死んだ直後は失業状態《じょうたい》になっているので暇《ひま》なのです。

そのため、この世の人が、その人のことを強く思い、念を出していると、やってくるのです。親に限《かぎ》らず、友人でも知り合いでも会社の同僚《どうりょう》でもそうです。会社の同僚などが死んだとき、「どうしているかな」と、毎日、その人のことを思っていると、その人がやってきます。うるさくてしかたがないほどですから、気をつけなければいけません。

世間《せけん》では、「死は永遠《えいえん》の別れであり、死ぬと、もう会えない」と言いますが、そうではありません。毎日でも来ます。

私の場合は、寝《ね》ているときに、よく狙《ねら》われます。日中《にっちゅう》は表面意識《いしき》が忙しく働いているので、死んだ人の霊が、そばに来ていても、あまり話しかけられずに済みますが、寝ているときは、霊界にいるときと同じような状態になっているので、向こうは自由に話しかけることが可能《かのう》なのです。そこで、いろいろなことを話しに来ます。

このように、死んだ人はうるさくて、こちらの仕事に差し支《つか》えたりもします。地獄霊《じごくれい》の場合も大変ですが、天国霊《てんごくれい》であっても、こちらの都合《つごう》に関係なく何度でもやってくるのです。

したがって、多少つれないとは思いますが、「こちらはこちらで仕事があります。あなたも、あの世での仕事を早く見つけてください」と言って、お引き取り願《ねが》うのが原則《げんそく》です。

「あの世にも仕事は幾《いく》らでもありますから、この世のことばかり考えていないで、あの世で仕事を見つけてください。その仕事を一生懸命やっていれば、この世のことをだんだん忘《わす》れていきます。この世にあまり執着《しゅうちゃく》を持つことには問題があります。あの世で仕事をしてください。そのほうが幸福ですし、あの世でも〝出世《しゅっせ》〟できるのです。

私たちが何か間違《まちが》っているときには、助言に来てくださっても結構《けっこう》ですが、私たちが順調にいっているときには、来てくださらなくて結構です」

このように言って、お互《たが》いに忙しくし、多少は距離《きょり》を取ったほうがよいと思います。

地上の人が霊能《れいのう》状態になると、思った瞬間《しゅんかん》に、どこへでも通じてしまいます。

まさに「一念三千《いちねんさんぜん》」であって、思いのコントロールがどれほど大変かということです。

あの世には一瞬《いっしゅん》で通じますが、この世においても、ある人のことをあまり考えていると、やはり同通《どうつう》します。一定時間以上、特定の人のことを考えていると、その人と同通するのです。

特《とく》に、私の場合は〝テレビ電話〟の世界であり、相手が生きている人間であっても、その人に少し思いを向けると、その人の表情や考えなどが、念波《ねんぱ》に乗って私のところへやってくるのです。そして、「そういうことが言いたいのだね。分かった、分かった」ということになります。

また、生きている人の念だけではなく、その人に憑《つ》いている霊までが一緒《いっしょ》にやってきて、「今、こういう状態にある」などと報告《ほうこく》するので、これがまた、うるさいのです。

このように、霊的には、全世界、全人類に対するネットワークが、すでにでき上がっているので、「いかにして思いをコントロールし、心を平静にするか」ということが非常に大事です。

その意味では、自己《じこ》修行に専念《せんねん》したほうがよいのです。「多くの人を救済《きゅうさい》したい」と思えば思うほど、雑念《ざつねん》から距離を取ることが大事になります。そういう修行をしないと、大勢《おおぜい》の人に光を発信する仕事はできなくなるのです。

4 救済《きゅうさい》の前段階《ぜんだんかい》――責任《せきにん》の自覚

先祖《せんぞ》が天国に還《かえ》っている場合は、原則《げんそく》として、「先祖のあの世での修行《しゅぎょう》が、さらに進みますように」という気持ちで先祖供養《くよう》をし、毎年《まいとし》一回か二回、近況《きんきょう》を報《ほう》告《こく》すればよいと思います。

一方、先祖が地獄《じごく》に行っている場合は、地上の人が修行を積《つ》み、ある程度《ていど》の法力《ほうりき》を持っていれば、懇々《こんこん》と説教《せっきょう》をして先祖を救《すく》うことができます。

ただし、この世にいたときに、説教をしても救えなかったような相手だと、その人があの世に行ってからも、なかなか救えません。

その場合には、地獄にいる本人自身の修行が必要になります。「自分のどこが間違《まちが》っていたのか」ということを、本人がしっかりと自覚するところまで行かないと、救済に入《はい》れないのです。

死後、暗い世界に堕《お》ちた人は、最初は、たいていの場合、「神も仏《ほとけ》もあるものか」と仏神《ぶっしん》を恨《うら》みます。そして、「社会も悪い。政治《せいじ》も悪い。家族も悪い。何もかもが悪い」と、盛《さか》んに言います。

その段階《だんかい》が一通《ひととお》り終わって、自分の責任《せきにん》を自覚し、「自分のどこが悪いのか」

というところにまで反省が及《およ》んでこないと、次の段階である救済には、なかなか入れません。そこで、本人の自覚を促《うなが》すという意味で、地獄という苦しい世界があるのです。

地獄では、「暗い」「寒い」「怖《こわ》い」「厳《きび》しい」など、人間が「嫌《いや》だ」と思うものがすべて出てくるので、そこが地獄であるかどうかは、霊界知識《れいかいちしき》があれば、かなり明確《めいかく》に判断《はんだん》できます。

あの世に還って、もし周囲が暗かったら、「天国も、今は夜なのかな」と思うかもしれませんが、天国に夜はないので、「いつまでも夜が明けない。妙《みょう》に夜が長いな」と思うときには、そこは天国ではないのです。

また、「ずいぶん寒いな」と感じたり、「ずいぶん鬼《おに》に叩《たた》かれるな」「おなかがすいて、しかたがない」「体が自由に動かなくて苦しい」などという場合も、そこは天国ではないと思って間違いありません。

「苦しさ」「寂《さび》しさ」「暗さ」「孤独《こどく》」などを感じる場合には、天国ではないと考えてよいのです。

それでは、天国は、どのような所なのでしょうか。

みなさんの人生で最も幸福だった時代を思い出してみてください。その時代の幸福な感覚が天国の状態《じょうたい》だと考えてよいのです。

タンポポや菜《な》の花《はな》が咲《さ》き、ヒバリやモンシロチョウが飛ぶと、「もうすぐ春が来る。うれしい」という、春の予感がするでしょう。あるいは、新学期になると、「上の学年へ上がれる。新しい友達ができ、新しい教科書がもらえる。うれしい」という感じがあるでしょう。それが天国の感覚なのです。

あの世に還ったとき、周囲が、そういう幸福な世界の延長《えんちょう》に見えたならば、そこは天国だと考えて結構《けっこう》です。しかし、暗く、寂しく、苦しい世界だったならば、そこは地獄だと考えてください。

死後、自分が天国へ行くか地獄へ行くかは、自分自身で直感的に分かるはずです。また、身内《みうち》についても、ある程度は分かると思います。

そして、地獄に堕ちたときには、地上の人がその人を供養することで救える場合もありますが、最後は個人《こじん》責任の世界に入るのです。

5 晩年《ばんねん》を生きる心構《こころがま》え

この世への執着《しゅうちゃく》を断《た》つ

人間である以上、「生老病死《しょうろうびょうし》」は避《さ》けられません。避けられないものを無理《むり》に避けようとすれば、それは、沈《しず》みゆく太陽を呼《よ》び戻《もど》そうとするのと同じことになります。

「人間は老《お》いていくものだ」と自覚することが大切なのです。老いると、体が不自由になり、思うように動きません。頭は朦朧《もうろう》とし、目はかすみ、だんだん、世の中から疎外《そがい》されて、邪魔者扱《じゃまものあつか》いされるようになります。これは、つらいことです。

しかし、それは〝解放《かいほう》の日〟が近づいていることを意味しているのです。「自由自在《じゆうじざい》の天界《てんかい》に戻る日が近づいてきているのだ」と思わなければいけません。その日を心待ちにする心境《しんきょう》が大事です。

そして、毎日毎日、執着《しゅうちゃく》を減《へ》らしていくことです。あの世に還《かえ》るために、だんだん、この世のことを整理し、この世への執着を断《た》って、心の準備《じゅんび》をしていくことです。

発展《はってん》がもたらす世代間の断絶《だんぜつ》

明治以降《めいじいこう》の百数十年間における日本の発展《はってん》を見ると、三代か四代ぐらいのあいだに国力が非常《ひじょう》に増進《ぞうしん》したことが分かります。日本は、明治以降、非常《ひじょう》に頑張《がんば》って国力を上げてきたのです。

この発展の要因《よういん》は、ここ百数十年間、しっかりと教育を行《おこな》ってきたことです。新しい文物《ぶんぶつ》を取り入れ、勉強し、努力してきたことです。

その結果《けっか》、曾祖父《そうそふ》よりは祖父、祖父よりは父、父よりは息子《むすこ》、息子よりは孫《まご》という順番で、しだいに偉《えら》くなってきたのです。

もちろん、個別《こべつ》に見れば、「親は偉かったが、子供《こども》は堕落《だらく》した」という場合もあるでしょうが、マクロの目で見たときには、「一代違《ちが》うと、二倍ぐらい偉くなっている」と考えて間違《まちが》いありません。国の成長度から見れば、子供は親の二倍

郵便はがき

料金受取人払郵便

赤坂局承認

8335

差出有効期間
2024年9月
30日まで
（切手不要）

1078790

112

東京都港区赤坂2丁目10—8
幸福の科学出版（株）
読者アンケート係 行

ご購読ありがとうございました。お手数ですが、今回ご購読いただいた書籍名をご記入ください。

書籍名

フリガナ お名前	男・女	歳
ご住所 〒 都道府県		
お電話（ ） —		
e-mail アドレス		
新刊案内等をお送りしてもよろしいですか？ [はい（DM・メール）・いいえ]		
ご職業 ①会社員 ②経営者・役員 ③自営業 ④公務員 ⑤教員・研究者 ⑥主婦 ⑦学生 ⑧パート・アルバイト ⑨定年退職 ⑩他（ ）		

プレゼント&読者アンケート

皆様のご感想をお待ちしております。本ハガキ、もしくは、右記の二次元コードよりお答えいただいた方に、抽選で幸福の科学出版の書籍・雑誌をプレゼント致します。

(発表は発送をもってかえさせていただきます。)

1 本書をどのようにお知りになりましたか?

2 本書をお読みになったご感想を、ご自由にお書きください。

3 今後読みたいテーマなどがありましたら、お書きください。

ご感想を匿名にて広告等に掲載させていただくことがございます。

ご記入いただきました個人情報については、同意なく他の目的で使用することはございません。


ご協力ありがとうございました!

ぐらい偉くなっているのです。

その理由は、子供に教育をつけたことにあります。教育制度《せいど》が発達して、国民がよく勉強したのです。

最近の子供は、親が行けなかった上級学校に行っていますし、昔《むかし》はあまりできなかった海外留学《りゅうがく》もしています。

これは、古い言葉で言えば、「階級《かいきゅう》が上がった」ということです。親より子供、子供より孫のほうが、〝階級〟が上がっているのです。なかには、逆《ぎゃく》に没落《ぼつらく》する人もいますが、それは数としては少なく、全体的に見れば階級が上がっています。

その意味で、世代間の断絶《だんぜつ》が起きてきています。そのため、「親が、晩年《ばんねん》、だんだん年を取ってきて働けなくなると、子供と対話できなくなる」「価値観《かちかん》の違いによって嫁姑《よめしゅうとめ》問題が起きてくる」などということがあります。しかし、マクロ的に見れば、世代間の断絶があって当たり前なのです。

農村などの停滞《ていたい》社会では、秩序型《ちつじょがた》の歴史が繰《く》り返されます。「毎年《まいとし》、同じやり方で、農耕《のうこう》をし、刈《か》り入《い》れをし、春には春祭り、秋には秋祭りをする」という、単純再生産《たんじゅんさいせいさん》の世界では、順送り、年功序列《ねんこうじょれつ》がやりやすいのです。

ところが、現代《げんだい》のような発展社会においては、世代間の断絶が激《はげ》しく、親の代、子供の代、孫の代と、世代と共に社会などもどんどん変わっていくものだと思わなくてはいけません。

「新人類」という言葉がありますが、新人類は、どんどん生まれているのです。そして、国の発展を見れば、新人類のほうが優秀《ゆうしゅう》であることも、はっきりしています。

みなさんが高齢者《こうれいしゃ》であれば、残念ながら、みなさんよりも、みなさんの子供の世代のほうが間違いなく優秀なのです。しかし、みなさんも、みなさんの親の世代よりは優秀なのです。

その意味で、「年を取れば、親は落ちこぼれる」ということを覚悟《かくご》しなくてはいけません。

「滅《ほろ》びの美学」を持って生きる

高齢者のみなさんのなかには、高学歴の人もいると思います。しかし、三十年もたつと、学問の中身は、かなり入れ替《か》わってしまっています。そのため、医学でも数学でも、古い知識《ちしき》はあまり役に立ちません。文科系《ぶんかけい》の学問でも同じです。

今、官庁《かんちょう》で次官や局長になっている人たちの場合、「大学で経済学《けいざいがく》を勉強した」と言っても、彼《かれ》らの学生時代には、経済学の主流はマルクス経済学でした。ところが、マルクス経済学は、まったくのピント外《はず》れであり、真実とは正反対であるため、むしろ勉強しないほうがよかったのです。

そういうガラクタの知識を勉強して「優《ゆう》」を取った人が、就職《しゅうしょく》して高い地位に就《つ》いているのですから、大変なことです。

「学生時代には遊んでいたけれども、社会に出てから、新しい経済学を実地《じっち》に勉強した」という人たちは、社会に適合《てきごう》しています。

しかし、学生時代に〝勉強しすぎた〟人たちが、国の中枢《ちゅうすう》で頑張《がんば》っているために、今、問題がたくさん起きているのです。彼らは、何十年か前に学んだ学問が役に立たないので、落ちこぼれているわけです。役に立たない学問で優秀な成績《せいせき》を収《おさ》めた人たちが、今、官庁では出世《しゅっせ》しているのであり、彼らに時代への適合性がないのは当然のことです。

逆《ぎゃく》に、学生時代にあまり勉強しなかったけれども、社会に出てから、「新しい学問を勉強しなければいけない」と焦《あせ》り、いろいろと勉強した人たちのみが、今の時代に適合性を持ち、実社会で役に立っているのです。

このように、昔の学問はあまり役に立たないので、みなさんが、高学歴で、過《か》去《こ》には優秀だったとしても、みなさんの子供の世代には追い抜《ぬ》かれる運命にあります。

「自分も優秀だった」と言っても、学問の中身が違うのです。過去に「優秀だ」とほめられたとしても、ほめてくれた教授《きょうじゅ》自身が、現在《げんざい》では、すでに時代遅《じだいおく》れで〝過去の遺物《いぶつ》〟にすぎないかもしれません。

現代は変化の激しい時代であり、十年もたつと、いろいろなことが変わってしまうので、三十年もたてば、学問は通じなくなります。

したがって、「子供は親より優秀なのだ」と思って、まず間違いありません。

かつて自分が〝滑り止め《すべりどめ》〟にした大学に自分の子供が入ったら、「自分のほうが上だ」と思うかもしれませんが、それでも、子供のほうが優秀になっている可《か》能性《のうせい》が高いのです。

みなさんは、「自分は、やがて子供に抜かれ、落ちこぼれる運命にある」と覚悟してください。

しかし、これは国が発展している証拠《しょうこ》なので、喜ばなければなりません。親としては、子供に抜かれて落ちこぼれたならば、「以《もっ》て瞑《めい》すべし」です。「子供は頑張った。国も頑張った。世界にも未来《みらい》がある」ということです。

自分が老《お》いの繰《く》り言《ごと》を言い始めたならば、国が発展している証拠なので、「以て瞑すべし」であって、執着《しゅうちゃく》を断つべきなのです。そして、「この国の教育は成功した。世界は発展の途上《とじょう》にある」と考えればよいのです。

逆に、国力が衰退《すいたい》している国では、親よりも子供のほうが、レベルが落ちてきています。あまり勉強をしないのかもしれませんが、魂《たましい》的にも落ちてきているのだと思います。

国力がピークのときには、その国に、優秀な魂が数多く生まれるのですが、国力が衰退してくると、優秀な魂たちが見放《みはな》し始め、それほど優秀ではない魂が数多く生まれてきます。

そして、百年一日《いちじつ》のごとく、ずっと同じような生活をしている国では、似《に》たような魂が、繰《く》り返し転生《てんしょう》していると考えてよいのです。

結局、「急成長している国では、世代間ギャップが生《しょう》じて、親はどんどん落ちこぼれていくのだ」ということを覚悟してください。ここで執着を持つべきではありません。

例えば、「自分は、昔、航空工学《こうくうこうがく》を勉強した。非常な秀才《しゅうさい》で、プロペラ飛行機を飛ばした」という人であっても、今は、その息子がロケットをつくって飛ばしているような時代であり、比較《ひかく》になりません。「おやじ、余計《よけい》なことを言うな」と言われて当然なのです。

こういうことはマクロのレベルで起きているので、親の人生観で子供を制約《せいやく》することには無理があります。

嫁姑の問題でも、姑が、昔の女学校程度《ていど》の価値観でもって、今の短大卒や大卒の女性、あるいは職業訓練《しょくぎょうくんれん》を受けた女性を指導《しどう》するのは、難《むずか》しくなっているのです。

したがって、晩年には、「滅《ほろ》びの美学」を持ち、美しく紅葉《こうよう》して散っていくことを楽しまなければいけません。追い越《こ》されたことを喜ぶ心境が大事です。それが、こういう社会変動のなかでの生き方です。執着を去って老いを迎《むか》えることが大切なのです。

そして、死後、たとえ地獄《じごく》に堕《お》ちたとしても、子孫《しそん》は子孫で忙《いそが》しいので、「子孫に救《すく》ってもらおう」とは思わないことです。反省によって、自分で自分を救うことができるのですから、生前《せいぜん》のことをよく反省し、自分の力で天上界《てんじょうかい》に上がることです。

しかも、地獄では、天使たちが数多く舞《ま》い降《お》りて指導しているので、自分の不《ふ》遇《ぐう》をかこつことなく素直《すなお》に耳順《みみしたが》う心さえあれば、天上界の霊《れい》たちの導《みちび》きによって、天国に入ることができるのです。

人間は、年を取ると、だんだん頑《かたくな》になって、他人の言うことをきかなくなる傾向《けいこう》があります。しかし、「老いては子に従《したが》え」という言葉もあるとおり、柔軟《じゅうなん》な心を持つように努力することが大事です。

あの世に還《かえ》ってからも、「自分の間違《まちが》いは、いつでも改《あらた》める」という柔軟な心を持つことです。「子孫からも学び、天上界の救いの霊に対しても、霊界《れいかい》の一年生として、耳を傾《かたむ》けて学ぶ」という、柔軟な姿勢《しせい》が必要です。

先祖供養《せんぞくよう》の際《さい》には、こういうことを、先祖に対して祈念《きねん》してあげることが大事だと言えます。

第5章

永遠《えいえん》の生命《せいめい》の世界

1　この世は、かりそめの世界

この世が仮《かり》の世であることの証拠《しょうこ》

永遠《えいえん》の生命《せいめい》について、お話ししたいと思います。

私は、さまざまな書物《しょもつ》や法話《ほうわ》のなかで、この永遠の生命について、繰《く》り返し述《の》べてきましたが、みなさんは、その真実を、いったい、どれだけ心に刻《きざ》んでいるでしょうか。それを再確認《さいかくにん》したいと思うのです。

人間の真実の生命は、有限《ゆうげん》のものではありません。そして、この世の人生と思っているものは、実は、真実のものではなく、かりそめのものにすぎません。

この世の数十年の人生が真実のものでない証拠《しょうこ》は、「生老病死《しょうろうびょうし》」という言葉に象徴《しょうちょう》される「四苦《しく》」の存在《そんざい》にあります。

なぜ、人は、生まれるに際《さい》して、苦しみのなかを通過《つうか》してくるのでしょうか。なぜ、母親のおなかのなかに宿り、長い長い時間、暗闇《くらやみ》のなかで、じっと耐《た》えているのでしょうか。そして、なぜ、泣《な》きながら生まれてくるのでしょうか。

本来の世界の自由自在《じゆうじざい》さを忘《わす》れ、不自由な世界に生まれんとする苦しみは、「生《しょう》」の苦しみです。それは、「また一から出直さなければならない」という、手《て》探《さぐ》りの人生、無明《むみょう》の人生の始まりでもあります。

しかし、そのような生まれ方をしても、十年、二十年、三十年の歳月《さいげつ》を過《す》ごすうちに、人は、この世に愛着《あいちゃく》を覚え、この世の人生に執着《しゅうちゃく》するようになります。みずからが、いとおしく思われ、この世の人間関係が、いとおしく思われ、「この世の世界の、ありとしあらゆるものを、自分の手に取りたい」と思うようになります。

そして、青春を謳歌《おうか》し、人生の盛《さか》りを迎《むか》えると、やがて、「老《ろう》」、老《お》いが襲《おそ》ってきます。体の痛《いた》み、顔の皺《しわ》、白髪《しらが》。そして、何よりも、精神《せいしん》に張《は》りがなくなり、未来《みらい》が不透明《ふとうめい》となり、夢《ゆめ》がなくなっていきます。過去《かこ》を思い返しては、取り戻《もど》すことのできない青春の日の思い出に執着するようになります。

老いは男性にも女性にも厳《きび》しく迫《せま》ってきて、それから逃《のが》れようとしても、結局は追いつかれてしまいます。

また、「病《びょう》」、病《やまい》の苦しみがあります。人はみな、「五体満足で、健康に一生を全《まっと》うしたい」と思うものですが、残念ながら、人生の過程《かてい》において、病のときを得《え》ます。それは、同時に失意のときであり、「本来、肉体は自分自身のものではなく、仮《かり》のものである」ということを感じさせられるときでもあります。

「自分のものだ」と思っている肉体でさえ、自分のものではありません。その証拠に、自分の自由にならないのです。これは、特《とく》に病のときに象徴的に感じることです。「健康になりたくても、なれない」、あるいは、「病になりたくなくても、なってしまう」、それが、肉体が借り物であることの証拠なのです。

さらに、「死」の苦しみです。これは人間にとって最大の苦しみでしょう。

今、ピンピンしている自分も必ず死を迎えます。今から百年前には、現在《げんざい》、生きている人のほとんどが、この地上には存在しませんでした。また、今から百年以上先には、今、生きている人は、おそらく、ほとんど存在しなくなっているでしょう。

このような不安のなかを生きていくのは大変なことです。死の恐怖《きょうふ》から逃れるために、この世のみに関心を持ち、享楽《きょうらく》のなかを過ごしていても、やがて、老いという苦しみが鞭打《むちう》ち、死が現実《げんじつ》になります。年を取るにつれて、ちょうど木の葉が落ちていくように、身の回りで次々と人が死んでいきます。

こういう「生老病死」の四苦の苦しみを見るにつけ、「真実とは、いったい何であるのか。真理《しんり》とは、いったい何であるのか」ということを問う哲学的《てつがく》衝動《しょうどう》から自由でいられる人は、まれでしょう。

人生における、さまざまな苦悩《くのう》

四苦に加えて、この世には、さらに幾《いく》つかの苦しみがあります。

まず、「怨憎会苦《おんぞうえく》」があります。嫌《いや》な人、嫌《きら》いな人と出会う苦しみです。「この人に会わなければ、自分は幸福だったのに」と思うような人と、どうしても出会わなければならない巡《めぐ》り合わせがあります。それは、職場《しょくば》の人であったり、家族であったり、親族であったり、身近《みぢか》にいる人であったりします。

また、愛する人と別れる苦しみ、「愛別離苦《あいべつりく》」も必ずやってきます。「この人とだけは別れたくない。離《はな》れたくない」という、友人、妻《つま》、夫《おっと》、子供《こども》たちなどがいても、死は、無情《むじょう》にも、そういう人間関係を打ち砕《くだ》き、波が貝殻《かいがら》をさらっていくように、人を連れ去っていきます。

さらに、「求不得苦《ぐふとくく》」があります。求めても得られない苦しみです。

これは万人《ばんにん》が感じるものです。誰《だれ》もが、この世に生まれるときは、泣きながら生まれてきたのに、数十年の人生を生きていくうちに、この世が住みよくなり、この世にあるものを、「あれも、これも」と手に入れたくなります。そして、いつしか、自分が執着だらけの人生を生きていることを感じます。

その執着は、人生の折《お》り返《かえ》し点《てん》を過《す》ぎて後《のち》、ますます激《はげ》しいものとなっていきます。四十歳《さい》、五十歳、六十歳となって、地位を捨《す》てられる人、名誉《めいよ》を捨てられる人、金銭《きんせん》を捨てられる人、あるいは人間関係を捨てられる人は、まれです。執着は、年齢《ねんれい》と共に増《ふ》えていくものです。そして、求める気持ちも、さらに強まっていきます。

強く強く求め続ける心は、実は、この世に生きていかんとする意志《いし》であり、この世のなかで自己実現《じこじつげん》を遂《と》げようとする気持ちでもあります。しかし、「求めても得られない」という苦しみがあります。これもまた、この世が真実の世界ではないことを表《あらわ》しています。

そして、「五陰盛苦《ごおんじょうく》」があります。五官煩悩《ごかんぼんのう》が燃《も》え盛《さか》る苦しみです。「肉体を持って生きる」ということは、「五官煩悩が炎《ほのお》のように燃え盛りながら生きる」ということを意味します。

五陰盛苦には、食欲《しょくよく》や性欲《せいよく》、睡眠欲《すいみんよく》など、肉体を持つことに伴《ともな》う、さまざまな苦しみがあります。肉体は、まるで自分のなかに動物を飼《か》っているかのような、貪欲《とんよく》の苦しみをもたらします。人は、燃え盛る五官煩悩の炎を消すことができず、それが暴《あば》れ馬《うま》のように暴れてしまい、魂《たましい》が自分自身の主人公であることを忘れさせられてしまいます。

これが、数十年のうちに大部分の人が味わう、人生の苦悩《くのう》です。人は、こういう四苦八苦《しくはっく》の人生を生きていますが、「人生は、まさしく四苦八苦である」という事実を見つめることこそが、実は、この世が仮の世であり、真実の世界ではないことを証明《しょうめい》するのです。

真実の世界ではないからこそ、そのような苦しみが現《あらわ》れてくるのです。真実の世界でないものに、こだわり、手に入れようとし、執着するからこそ、苦しいのです。

2　魂《たましい》を鍛《きた》え、光らせるために

生まれてくる前の世界に、そして、死んで後《のち》に還《かえ》る世界に、思いを馳《は》せてみてください。そこに真実の人生があったのです。

この世というものは仮《かり》の世です。永遠《えいえん》の生命《せいめい》を生きている者同士が、同時代に、この物質《ぶっしつ》世界において、肉体に宿り、人間的生活を送ることによって、共に切磋《せっさ》琢磨《たくま》しているのです。

そして、盲目《もうもく》の人生を生きている人が数多くいるからこそ、偉大《いだい》な光たちも、次々に、この世に舞《ま》い降《お》りて、衆生《しゅじょう》の救済《きゅうさい》にいそしんでいます。ある者は男の肉体に宿り、また、ある者は女の肉体に宿って、地上の人々を教化《きょうけ》し、救済することに、命《いのち》を懸《か》けております。

以前、私の著書《ちょしょ》『永遠の法』（幸福の科学出版刊）がミリオンセラーになりました。「この世とあの世の仕組み」と「転生輪廻《てんしょうりんね》の法則《ほうそく》」を述《の》べた、この真実の本は、すべての人が、死ぬ前に一度は読んだほうがよいと思います。生きているうちに読んでこそ、その人生は光り、また、死後の人生も光ります。

人は必ず死を迎《むか》えます。それが、いつであるかは分かりません。今日か、明日《あす》か、あるいは一年後か、十年後か、二十年後か、それは分かりませんが、死は百パーセント必ずやってきます。

「その後に来る人生こそが真実の人生である」ということを、また、「今世《こんぜ》というものは、その後の、真実の人生を生き切るためにこそ、意味を持っている。魂《たましい》を鍛《きた》え、光らせるために、大いなる意味を持っている」ということを、『永遠の法』は示《しめ》しているのです。

3　真実の価値観《かちかん》に基《もと》づいた仏国土《ぶっこくど》を

この三次元の現象界《げんしょうかい》における人生は、一種の学校であり、魂《たましい》にとって、学びの場にほかなりません。

ところが、大部分の人々は、この仮の世界を、本当の世界だと思い、真実の世界、本当の世界のことを、忘《わす》れ去り、嘲笑《ちょうしょう》しています。

真実に立脚《りっきゃく》していない人生は、もろく、はかなく、崩《くず》れやすいものです。

真実の人生に目覚め、真実の自己《じこ》に目覚めたならば、その身は金剛不壊《こんごうふえ》です。ダイヤモンドのように硬《かた》く、光り続ける存在《そんざい》となります。

今、すべての人々に真実を知ってもらうための革命《かくめい》が、日本を中心にして、全世界に向けて発信されています。

私の願《ねが》いは一つです。真実の価値観《かちかん》に基《もと》づいた仏国土《ぶっこくど》を、この世において成就《じょうじゅ》すること、そして、その仏国土が、永遠の生命に永遠の進化を約束《やくそく》するものであること、それを願っています。

どうか、一人《ひとり》でも多くの人に、永遠の生命の世界について語ってください。

それは真実であるがゆえに、みなさんは勇気を持たねばなりません。真実の側《がわ》に立っている者は、真《しん》なる勇気を持たねばなりません。

真実は強く、敗《やぶ》れないものです。断固《だんこ》として、それを押《お》し広げていくことです。

みなさんの使命《しめい》は、真実を悟《さと》り、その真実を押し広げていくことにあります。

また伝道を続けていかねばなりません。縁《えん》ある衆生《しゅじょう》を、数限《かずかぎ》りなく救《すく》っていかねばなりません。

今後も、そのための努力を続けていきたいと思います。

あとがき

本書中に出てくる霊子線《れいしせん》「シルバー・コード」については、旧約聖書《きゅうやくせいしょ》の中の『伝道者の書』第十二章で「こうしてついに、銀のひもは切れ、金の器《うつわ》は打ち砕《くだ》かれ……」と述《の》べられている『銀のひも』であり、早くから知られているが、現《げん》代《だい》のキリスト教会も人間の死については正しくは理解《りかい》していないだろう。

脳死状態《のうしじょうたい》での臓器移植《ぞうきいしょく》の問題点は、第一に、本人の魂《たましい》がまだ自分の死を認《みと》めていないことによる恐怖《きょうふ》の苦しみ、第二に、脳死者の魂が被移植者《ひいしょくしゃ》に憑依《ひょうい》して死後の世界への移行《いこう》が妨《さまた》げられると同時に、相手の人格《じんかく》変化や家族への障《さわ》りを起こすことである。

仏教的《ぶっきょう》に正しい布施《ふせ》として成り立つためには、布施する主体（施者《せしゃ》）、布施する相手（受者《じゅしゃ》）、布施する物品《ぶっぴん》（施物《せもつ》――この場合、臓器）に汚《けが》れがないこと、執着《しゅうちゃく》がないことが必要である（三輪清浄《さんりんしょうじょう》）。つまり、臓器提供者《ていきょうしゃ》が仏法真理《ぶっぽうしんり》を学び愛の心で与《あた》えたいと思うこと、受者も深く真理を理解しつつ、感謝《かんしゃ》すること、臓器取引に違法性《いほうせい》や金銭対価《きんせんたいか》を伴《ともな》わないこと、などを前提《ぜんてい》として正しい布施が成り立つ。この点、死ねば何もかも終わりだと唯物論《ゆいぶつろん》的に考え、臓器ビジネスの一翼《いちよく》を担《にな》うようでは、霊界《れいかい》の混乱《こんらん》には拍車《はくしゃ》がかかり、死者も浮《う》かばれない。

一方、宗教界《しゅうきょうかい》に目を転ずれば、すべての不幸を先祖《せんぞ》のせいにする子孫《しそん》と、すべての苦しみを子孫のせいにする先祖の不成仏霊《ふじょうぶつれい》との合作による悲喜劇《ひきげき》としての先祖供養《くよう》がまかり通っている。悟《さと》りは個人《こじん》に属《ぞく》するものだという原点を忘《わす》れてはならない。正しい先祖供養のあり方を学んでいただきたい。先祖を供養しているつもりで、他の悪霊《あくれい》たちにとりつかれている家庭も多いのだ。

この仏法真理が、一人でも多くの人の知識《ちしき》となることを心から希望している。

二〇〇四年　春

幸福《こうふく》の科学《かがく》グループ創始者兼総裁《そうししゃけんそうさい》　大川隆法《おおかわりゅうほう》

本書は、左記の法話や質疑応答をとりまとめたものです。

第1章　死の下の平等

二〇〇一年六月十九日説法
東京都・幸福の科学総合本部にて

第2章　死後の魂について（質疑応答）

1　死期が近づいた人間の魂の様相

一九八九年八月六日
北海道・札幌市教育文化会館にて

2　死後、人間の魂はどうなるか

一九八九年五月二十八日
兵庫県・神戸ポートアイランドホールにて

3　死後の世界での年齢について

同右

4　自殺した人の霊はどうなるか

一九九〇年二月十一日
東京都・日本青年館にて

5　戦争や震災による不成仏霊たちの供養
一九九六年二月二十八日
東京都・幸福の科学総合本部にて

6　あの世を信じていない人への伝道の意義
同右

7　脳死についての考え方
一九八九年三月十九日
福岡県・九州厚生年金会館にて

第3章　脳死と臓器移植の問題点
一九九七年四月二十五日説法
幸福の科学　特別説法堂にて

第4章　先祖供養の真実
一九九六年三月五日説法
東京都・幸福の科学総合本部にて

第5章　永遠の生命の世界
一九九八年二月二十一日説法
幸福の科学　特別説法堂にて

『永遠の生命の世界』関連書籍

『永遠の法』（大川隆法 著　幸福の科学出版刊）

『地獄の法』（同右）

『神秘の法』（同右）

『復活の法』（同右）

『地獄に堕ちないための言葉』（同右）

『死んでから困らない生き方』（同右）

『霊界散歩』（同右）

永遠《えいえん》の生命《せいめい》の世界《せかい》 ――人は死んだらどうなるか――

2004年4月27日　初版第1刷
2023年10月27日　第7刷

著者　大《おお》川《かわ》隆《りゅう》法《ほう》

発行所　幸福の科学出版株式会社

〒107-0052 東京都港区赤坂2丁目10番8号
TEL(03)5573-7700
https://www.irhpress.co.jp/

印刷・製本　株式会社 堀内印刷所

落丁・乱丁本はおとりかえいたします

ISBN978-4-87688-522-0 C0014

幸福の科学グループのご案内

宗教、教育、政治、出版などの活動を通じて、地球的ユートピアの実現を目指しています。

幸福の科学

一九八六年に立宗。信仰の対象は、地球系霊団の最高大霊、主エル・カンターレ。世界百六十九カ国以上の国々に信者を持ち、全人類救済という尊い使命のもと、信者は、「愛」と「悟り」と「ユートピア建設」の教えの実践、伝道に励んでいます。

（二〇二三年十月現在）

愛

幸福の科学の「愛」とは、与える愛です。これは、仏教の慈悲《じひ》や布施《ふせ》の精神と同じことです。信者は、仏法真理をお伝えすることを通して、多くの方に幸福な人生を送っていただくための活動に励んでいます。

悟り

「悟り」とは、自らが仏の子であることを知るということです。教学《きょうがく》や精神統一によって心を磨き、智慧《ちえ》を得て悩みを解決すると共に、天使・菩薩《ぼさつ》の境地を目指し、より多くの人を救える力を身につけていきます。

ユートピア建設

私たち人間は、地上に理想世界を建設するという尊い使命を持って生まれてきています。社会の悪を押しとどめ、善を推し進めるために、信者はさまざまな活動に積極的に参加しています。

海外支援・災害支援

幸福の科学のネットワークを駆使し、世界中で被災地復興や教育の支援をしています。

毎年２万人以上の方の自殺を減らすため、全国各地でキャンペーンを展開しています。

公式サイト　**withyou-hs.net**

自殺防止相談窓口

受付時間　火～土:10～18時（祝日を含む）

TEL　**03-5573-7707**　メール　**withyou-hs@happy-science.org**

視覚障害や聴覚障害、肢体不自由の方々と点訳・音訳・要約筆記・字幕作成・手話通訳等の各種ボランティアが手を携えて、真理の学習や集い、ボランティア養成等、様々な活動を行っています。

公式サイト　**helen-hs.net**

入会のご案内

幸福の科学では、主エル・カンターレ 大川隆法総裁が説く仏法真《ぶっぽうしん》理《り》をもとに、「どうすれば幸福になれるのか、また、他の人を幸福にできるのか」を学び、実践しています。

入会

仏法真理を学んでみたい方へ

主エル・カンターレを信じ、その教えを学ぼうとする方なら、どなたでも入会できます。入会された方には、『入会版「正心法語《しょうしんほうご》」』が授与されます。

入会ご希望の方はネットからも入会申し込みができます。

happy-science.jp/joinus

三帰《さんき》誓願《せいがん》

信仰をさらに深めたい方へ

仏弟子としてさらに信仰を深めたい方は、仏《ぶっ》・法《ぽう》・僧《そう》の三宝《さんぼう》への帰依を誓う「三帰誓願式」を受けることができます。三帰誓願者には、『仏説・正心法語』『祈願文《きがんもん》①』『祈願文②』『エル・カンターレへの祈り』が授与されます。

幸福の科学 サービスセンター

TEL 03-5793-1727（受付時間/火～金:10～20時 土・日祝:10～18時（月曜を除く））

幸福の科学 公式サイト

happy-science.jp

ハッピー・サイエンス・ユニバーシティ

Happy Science University

ハッピー・サイエンス・ユニバーシティとは

ハッピー・サイエンス・ユニバーシティ(HSU)は、
大川隆法総裁が設立された「日本発の本格私学」です。
建学の精神として「幸福の探究と新文明の創造」を掲げ、
チャレンジ精神にあふれ、新時代を切り拓く人材の輩出を目指します。

人間幸福学部　経営成功学部　未来産業学部

HSU長生キャンパス TEL **0475-32-7770**
〒299-4325　千葉県長生郡長生村一松丙 4427-1

未来創造学部

HSU未来創造・東京キャンパス
TEL **03-3699-7707**
〒136-0076　東京都江東区南砂2-6-5　公式サイト **happy-science.university**

学校法人 幸福の科学学園

学校法人 幸福の科学学園は、幸福の科学の教育理念のもとにつくられた教育機関です。人間にとって最も大切な宗教教育の導入を通じて精神性を高めながら、ユートピア建設に貢献する人材輩出を目指しています。

幸福の科学学園
中学校・高等学校（那須本校）
2010年4月開校・栃木県那須郡（男女共学・全寮制）
TEL **0287-75-7777** 公式サイト **happy-science.ac.jp**

関西中学校・高等学校（関西校）
2013年4月開校・滋賀県大津市（男女共学・寮及び通学）
TEL **077-573-7774** 公式サイト **kansai.happy-science.ac.jp**

仏法真理塾「サクセスNo.1」

全国に本校・拠点・支部校を展開する、幸福の科学による信仰教育の機関です。小学生・中学生・高校生を対象に、信仰教育・徳育にウエイトを置きつつ、将来、社会人として活躍するための学力養成にも力を注いでいます。

TEL 03-5750-0751（東京本校）

エンゼルプランV

東京本校を中心に、全国に支部教室を展開。信仰をもとに幼児の心を豊かに育む情操教育を行い、子どもの個性を伸ばして天使に育てます。

TEL 03-5750-0757（東京本校）

エンゼル精舎

乳幼児が対象の、託児型の宗教教育施設。エル・カンターレ信仰をもとに、「皆、光の子だと信じられる子」を育みます。
（※参拝施設ではありません）

不登校児支援スクール「ネバー・マインド」

TEL 03-5750-1741

心の面からのアプローチを重視して、不登校の子供たちを支援しています。

ユー・アー・エンゼル！（あなたは天使！）運動

障害児の不安や悩みに取り組み、ご両親を励まし、勇気づける、障害児支援のボランティア運動を展開しています。

一般社団法人 ユー・アー・エンゼル
TEL 03-6426-7797

NPO活動支援

学校からのいじめ追放を目指し、さまざまな社会提言をしています。また、各地でのシンポジウムや学校への啓発ポスター掲示等に取り組む一般財団法人「いじめから子供を守ろうネットワーク」を支援しています。

公式サイト mamoro.org　ブログ blog.mamoro.org
相談窓口 TEL.03-5544-8989

百歳まで生きる会～いくつになっても生涯現役～

「百歳まで生きる会」は、生涯現役人生を掲げ、友達づくり、生きがいづくりを通じ、一人ひとりの幸福と、世界のユートピア化のために、全国各地で友達の輪を広げ、地域や社会に幸福を広げていく活動を続けているシニア層（55歳以上）の集まりです。

【サービスセンター】TEL 03-5793-1727

シニア・プラン21

「百歳まで生きる会」の研修部門として、心を見つめ、新しき人生の再出発、社会貢献を目指し、セミナー等を開催しています。

【サービスセンター】TEL 03-5793-1727

幸福実現党

内憂外患《ないゆうがいかん》の国難に立ち向かうべく、2009年5月に幸福実現党を立党しました。創立者である大川隆法党総裁の精神的指導のもと、宗教だけでは解決できない問題に取り組み、幸福を具体化するための力になっています。

HS政経塾

大川隆法総裁によって創設された、「未来の日本を背負う、政界・財界で活躍するエリート養成のための社会人教育機関」です。既成の学問を超えた仏法真理を学ぶ「人生の大学院」として、理想国家建設に貢献する人材を輩出するために、2010年に開塾しました。現在、多数の市議会議員が全国各地で活躍しています。

TEL 03-6277-6029
公式サイト hs-seikei.happy-science.jp

幸福の科学出版

大川隆法総裁の仏法真理の書を中心に、ビジネス、自己啓発、小説など、さまざまなジャンルの書籍・雑誌を出版しています。他にも、映画事業、文学・学術発展のための振興事業、テレビ・ラジオ番組の提供など、幸福の科学文化を広げる事業を行っています。

アー・ユー・ハッピー?
are-you-happy.com

ザ・リバティ
the-liberty.com

幸福の科学出版
TEL 03-5573-7700
公式サイト irhpress.co.jp

THE FACT

YouTubeにて
随時好評
配信中!

ザ・ファクト
マスコミが報道しない
「事実」を世界に伝える
ネット・オピニオン番組

ザ・ファクト 検索

NEW STAR PRODUCTION

ニュースター・プロダクション

「新時代の美」を創造する芸能プロダクションです。多くの方々に良き感化を与えられるような魅力あふれるタレントを世に送り出すべく、日々、活動しています。 **公式サイト newstarpro.co.jp**

ARI Production

ARI《アリ》 Production《プロダクション》

タレント一人ひとりの個性や魅力を引き出し、「新時代を創造するエンターテインメント」をコンセプトに、世の中に精神的価値のある作品を提供していく芸能プロダクションです。 **公式サイト aripro.co.jp**